KB021499

2014년생

2014년생

송김경화

아를

우리는 지금 재난참사 피해자와
우리 모두의 존엄과 생명에 대한 권리를
세워가는 중이다.

《4.16세월호참사 종합보고서 분석 TF 자료집》 중

세월호 이후, 길을 찾아서

"왜 빨갱이라고 하는 거야?"

2021년에 공연된 416가족극단 노란리본의 연극
〈기억여행〉을 보던 중 나와 함께 사는 어린이 시원이
물었다. 세월호 참사 유가족을 비난하는 장면에서였다.
끝나고 이야기해주겠다고는 했지만 공연 내내
어떻게 설명해줘야 할지 막막했다. 빨갱이란 말이
사용되어온 역사를 먼저 설명해야 할까, 오늘날
한국에서 정치권력의 도구이자 차별과 혐오의 상징이
된 말이라고 설명할까⋯⋯. 여덟 살 시원이 이해하기
어려운 이야기여서 막막했던 것이 아니라, 재난 참사의
피해자를 빨갱이라 욕하는 이 사회가 막막했다.
그럼에도 공연이 끝날 무렵 한 가지 사실은 분명해졌다.

다른 무엇보다 세월호 참사에 대해 더 잘 이야기해주는
것이었다.

ꙮ

2015년에 단원고 생존자들을 만났다. 혜화동1번지
6기 동인의 기획공연 '세월호' 프로젝트에 올릴
작품에 단원고 생존자의 이야기를 담기 위해서였다.
2014년의 생존자 김도연과 김주희를 그때 처음 만났다.
나는 그들과 만나는 자리에 당시 태어난 지 8개월
된 2014년생 시원과 함께 갔다. 이후로도 우리는
종종 연락을 주고받았다. 주로 시원의 안부를 전하기
위함이었는데, 나중엔 시원이 스스로 연락해 도연과
주희의 안부를 물었다. 우리는 적어도 1년에 한 번은 꼭
만나 서로의 일상을 나누고 응원하며 짧은 하루를 함께
보냈다.

시원이 세월호 참사에 대해 본격적으로 질문하기
시작한 것은 '세월호 참사'와 '생존자'인 언니들을
연결하고 궁금증을 갖게 되면서부터였다. 시원의
질문들은 내가 답할 수 없는 것이 더 많았다. 나는
도연과 주희에게 도움을 요청하며 시원에게 직접

세월호 참사에 대해 이야기해줄 수 있겠느냐고 물었다.
두 사람 모두 흔쾌히 응해주었다.

우리는 시원에게 더 잘 설명하기 위해 세월호의
장소들(안산 기억교실, 진도 팽목항, 목포신항의 세월호)을
방문하기로 했다. 시원은 떠나기 일주일 전부터
질문을 생각하느라 골몰하면서도, 주희 언니와 함께
여행을 떠난다는 사실에 들떠 있었다. 기억교실에 가서
주겠다며 언니가 좋아하는 프리지어 한 다발도 미리
준비했다. 2014년에 태어난 이와 2014년에 살아남은
이가 세월호의 장소들로 여행을 떠났다.

모든 장소에서 시원은 머리가 아플 정도로 최선을
다해 질문했고, 주희는 마음이 아플 정도로 최선을
다해 답했다. 그날 주희는 세월호 참사 이후 8년 만에
목포신항의 세월호 앞에 선 것이었다. 날조되거나
선택적으로 편집된 세월호 참사가 아니라 오롯이
당사자의 언어로 기억되고 기록되는 세월호 참사를
이후의 세대에게 전하기 위해서였다. 나 역시 주희가
2014년 4월 16일 세월호 안에서 어떤 시간을 보냈는지
처음 알게 되었다. 시원의 질문이 아니었다면, 영영

묻지 못했을 것이다.

여행의 마지막 장소였던 목포신항에 도착한 시원은
웬일인지 내내 딴청을 피웠다. 도착하기 전만 해도
세월호가 얼마나 큰지 확인하고 싶다며 몇 번을 다시
묻더니 정작 세월호 앞에 서자 더는 궁금해하거나
관심을 보이지 않았다. 어서 밖으로 나가 주희랑
신나게 놀고 싶은 모양이었다. 펜스에 매여 있는 노란
리본을 만지작거리며 노는 시원을 두고, 우리는 말없이
세월호를 바라봤다. 주희가 물었다.

"이 배를 보면 어떤 마음이 들어야 정상일까요?"

여행을 마치고 돌아와 세월호의 장소들에서 녹음한
주희와 시원의 대화를 다시 들었다. 목포신항의
세월호 앞에서 딴청을 부리고 있던 시원이 흥얼거리는
콧노래가 꽤 긴 시간 녹음되어 있었다. 영화 〈모아나〉의
'길을 알아'라는 노래였다.

바람을 타고 갈 때 태양은 높아
바다를 가로질러 헤쳐 나간다

밤이면 별 보면서 갈 길을 찾아

그게 우리야, 우리야

Aue, aue

드넓은 바다로

새로운 섬을 찾아 떠나자

Aue, aue

꿈에 그리던 섬 하나

집 찾아가야 할 때 길을 알아

시원이 흥얼거린 콧노래는 모아나의 부족이 바다를
항해할 때 부르는 노래다. 시원의 콧노래를 듣자
〈2014년 생〉을 어떻게 만들어야 할지가 선명해졌다.

⚘

〈2014년 생〉은 2014년생 시원이 세월호의 장소들에서
보고, 묻고, 듣고 다시 떠오른 질문들로부터 출발한다.
시원이 세월호 참사를 통해서 보게 된 사회, 시원이
지금 만나고 있는 사회에 관한 질문들이다. 세월호
참사와 아동 청소년 인권은 2014년 단원고 생존자와
2014년생의 교차점이다. 세월호 이전에도 이후에도
아동 청소년의 사회적 위치는 달라지지 않았다. 안전한

사회를 만드는 대신 '보호'라는 이름으로 아동 청소년의 자유로울 권리를 구속하거나 어린이의 '어린이다움'을 차별과 배제의 동력으로 삼으며 '어른답기'를 요구하는 사회의 모순이 시원의 질문 곳곳에서 드러난다.

시원은 방대한 리서치 과정에서 주희와 도연에게 자주 전화를 걸었다. 언니들이 겪어낸 차별과 혐오의 시간들을 묻고, 자신이 목격하고 있는 상황들을 이야기하면서, 어떤 태도로 이 시간을 뛰어넘을 수 있을지 지혜를 구하기 위해서였다. 시원은 이태원 참사, 궁평2지하차도 참사, 고 채수근 상병 사망에 이르기까지 끊이지 않는 일련의 사회 참사들을 경유해 자신이 현재 맞닥뜨리고 있는 스쿨존, 노키즈존, 성평등 도서, 학생인권조례, 현장체험학습, 기후위기 등의 문제로 나아갔다. 미래 세대가 아닌 지금을 살아가는 세대로서 '노란 리본'의 약속이 아동 청소년의 인권을 존중하는 행동으로 재구성되기를 요청하면서.

2024년 4월에는 세월호 참사 10주기를 앞두고 〈2014년 생〉이 안산에서 공연된다. 매일 밤 대본을 외우는 시원에게 물었다. 세월호의 장소들로 여행을

간 그날 목포신항에서 세월호를 보았을 때 어땠냐고.
그렇게도 보고 싶어 했던 세월호가 눈앞에 있었는데 왜
더 관심을 보이지 않았냐고.

"슬퍼서. 슬픈 걸 들키고 싶지 않아서. 말을 하면 슬픈
걸 들키게 되잖아."
"그래서 언니한테 질문하지 않은 거야?"
"주희 언니도 슬플까 봐⋯⋯."
"언니가 슬퍼 보였어?"
"응. 언니는 항상 웃는 얼굴로 밝게 이야기하는데,
세월호에 가까이 갈수록 표정도 목소리도
어두워졌거든. 언니는 거기서 친구들을 잃었잖아."
"시원이는 세월호를 보면서 무슨 생각을 했어?"
"나한테도 이런 일이 일어날 수 있다는 생각."

말하는 내내 시원의 눈에 슬픔이 차올랐다. 하지만 울지
않았다. 시원은 몇 번이고 눈물을 삼켰다. 감히 울지
않겠다는 듯이.

지금까지가 2014년에 살아남은 이들이 2014년에
태어난 이에게 세월호 참사를 더 잘 이야기해주기

위한 시간이었다면, 지금부터는 2014년에 태어난 이가
2014년 이후를 살아가는 이들에게 세월호 참사를 더 잘
이야기해주는 시간이 되면 좋겠다.

배우 이나리를 언급하지 않을 수 없다. 그는 처음
만났을 때부터 세월호 참사를 기억하는 노란 팔찌를
차고 있었다. 그 노란 팔찌를 보고 나는 연극을
함께하자고 제안했다. 나리 배우는 세월호의 장소들로
떠난 여행은 물론 기획, 리서치, 연습과 공연에
이르기까지 매 중요한 순간들을 동행하며 곁을
지켜주었다. 그는 시원의 자리에 서서 세상을 보기
위해, 시원이 함께 설 수 있는 자리를 만들기 위해
노력했다. 주체로서의 아동 청소년을 존중한다는 것이
무엇인지 스스로 질문하고, 자기 자신에게 알게 모르게
내재된 차별 인식을 발견하고 성찰해나가면서 홀로
분투했다. 배우 이나리의 말에 주의를 기울이다 보면
시원에게, 아동 청소년의 인권에, 그리고 세월호 참사에
가닿을 수 있을 것이다.

글을 쓰고 연출을 한다는 것은 '무엇을 어떻게 이야기할

것인가?'를 묻고 '왜 하는가?'에 답하는 일이었다.
예술가로서의 정체성이 명료해질수록 한 인간으로서의
지향도 그와 같아졌다. 자본과 대중에 휘둘리지 않고
당사자의 목소리를 비교적 날것 그대로 실어 나를 수
있는 유일한 매체이자 아주 작은 스피커로서의 연극.
나에게 연극은 이 세계와 저 세계를 잇는 연대다.

이 책에 수록된 희곡 말미에는 연극을 함께 만든
이들의 이름이 적혀 있다(129쪽). 연대로서의 연극을
믿고 함께하는 동료들이다. 한 사람 한 사람의 이름을,
그들의 노동을 끝까지 읽어주시기를 부탁드린다. 그들
덕분에 연극 〈2014년 생〉이 있었다.

이 책을 위해 도연과 주희가 진심 어린 에세이를,
인권운동가 미류 님이 귀한 글을 보내주셨다. 도연과
주희뿐 아니라 다른 많은 생존자들이 저마다의
목소리를 낼 수 있도록 가방에 노란 리본을 달아
주시기를 부탁드린다. 버스와 지하철에서, 어느
거리에서 그들이 노란 리본을 발견하고 연대의 힘을
낼 것이다. 2022년, 차별금지법 제정을 요구하며
미류 님이 46일간의 단식을 마치던 날, 시원도 그

자리에 있었다. 모든 존재의 권리를 옹호하는 것이
자신의 생명처럼 소중한 것임을 알게 해준 미류 님,
그리고 엉망진창인 세상을 바꾸기 위해 싸우는 많은
인권활동가들이 지치지 않도록 응원해주시기를
부탁드린다. 보행 교통사고로 세상을 떠난 어린이들과
재난 참사 피해자를 오래오래 기억해주시기를
부탁드린다. 이 모든 부탁을 들어주신 여러분을
먼지호에 초대하겠다. 먼지 먼지 뿍극 슈퍼 파워!

2024년 3월,
세월호 참사 10주기를 앞두고
송김경화

일러두기

- 이 책은 극작가 겸 연출가 송김경화가 쓰고 연출한 연극 〈2014년 생〉의 원작 희곡집이다. 이 책에 수록된 희곡 대본은 2023년 10월 전태일기념관 공연에서 사용된 것을 기본으로 삼아 작가가 수정 보완한 것이다.

- 〈2014년 생〉은 2023년 제1회 이영만 연극상에서 작품상을 수상했다. '이영만 연극상'은 2014년 세월호 참사로 세상을 떠난 고 이영만(당시 단원고 2학년)의 어머니이자 연극 배우인 이미경 씨의 주도로 만들어진 상이다.

- 책 속에 수록된 사진은 〈2014년 생〉이 기획 단계에 있던 2022년 '세월호의 장소들로 떠난 여행' 당시에 찍은 영상에서 발췌한 것이다.

- 국립국어원의 한글 맞춤법에 따르는 것을 원칙으로 했으나, 작가의 의도적 표기는 그대로 살렸다. 대표적으로, '2014년생과 2014년 생존자 두 주체의 만남'이라는 작가의 의도를 존중해 이 작품의 제목을 언급하는 경우에는 "2014년 생"으로 표기했다. 규범 표기는 '2014년생'이다.

차례

등장인물

시원 (2014년생)

나리 (1987년생)

그리고

도연, 주희 (단원고 생존자)

무대

무대 방향에 관한 지문은 관객이 무대를 바라보았을
때를 기준으로 한다.

무대는 관객석보다 약 45센티미터 높은 단 위에 있으며,
관객석은 단차 없는 바닥이다.

무대 왼쪽에는 흰 책상 하나와 의자 두 개가 객석을 향해
놓여 있다.

책상 위에는 〈2014년 생〉 대본과 필통, 접시와 일회용
비닐장갑, 《4.16세월호참사 종합보고서 분석 TF
자료집》(사회적참사특별조사위원회, 2023), 책 《울고 있는
아이에게 말을 걸면》(변진경, 2022), 《홀: 어느 세월호
생존자 이야기》(김홍모, 2021), 스티커가 잔뜩 붙은
노트북 등이 있다.

무대 중앙 뒤쪽으로 이동식 화이트보드가 있다.

오른쪽에는 의자 세 개가 있으며, 가운데 의자 위에는
시원의 하늘색 학교 가방이 있다.

가방에는 노란 리본, 보라 리본,
전국장애인차별철폐연대의 배지, 무지개 곰돌이 등이
달려 있다.

무대 뒤쪽 벽 전면에는 크고 작은 종이들이 빼곡하게
붙어 있다.

종이들에는 연극 〈2014년 생〉을 준비하며 작성된 기록과
고민의 과정이 글과 그림으로 채워져 있다.

객석은 이동 가능한 접이식 의자를 사용하는 것이 좋다.

객석 의자와 의자 사이는 한 사람이 지나다닐 수 있을
만큼 넓다.

객석 바닥에는 다양한 크기의 원형 스티커가
불규칙적으로 붙어 있고, 그 위로 투명한 바닥재가 깔려
있다.

프롤로그

공연 15분 전, 극장 문이 열리면 시원이 관객을 맞이한다.
시원의 가슴에는 북극곰 얼굴 모양의 '뿍극대원' 배지가
달려 있다.
시원은 관객들에게 자신이 직접 만든 뿍극대원 배지를
나누어 주고, 각자 가슴에 달고 입장하도록 한다.

시원   뿍극대원님, 안녕하세요. 편하신 자리에
            앉으세요.

객석 안내를 하던 시원이 분장실 쪽을 살피며 무대 위
책상으로 가서 지우개를 든다.

시원   (관객에게) 쉿! 비밀이에요.

시원, 나리의 대본을 펼쳐 지우개로 무언가를 재빨리
지운다.

나리   (등장하며) 거기서 뭐 해요?

시원   아무것도 아니에요. (관객에게) 뿍극대원님들
              우리 끝말잇기 할까요?

시원은 무대 앞에 걸터앉고, 나리는 빈 객석에 앉아
관객과 함께 끝말잇기를 시작한다.

사이.

마지막 관객이 입장한다.
그러나 객석에는 빈자리가 없다.

나리   자리가 없네.

시원   (마지막 관객에게) 자리가 없는 사람은
              시민일까요?

나리   마피아게임 하는 거예요?

시원   자리가 없으면…….

나리   마피아예요?

시원	아니에요.
나리	경찰이구나.
시원	시민이…….
나리	아니에요?
시원	네?
나리	네?
시원	네?
나리	(마지막 관객에게) 그럼 누구세요?
시원	뿍극님이시잖아요.
나리	앗! 마피아게임인 줄 알았어요. (자신이 앉아 있던 자리를 내어주며) 어서 오세요, 뿍극님. 여기 앉으세요.

마지막 관객, 자리에 앉는다.

| 시원 | (관객에게) 어린이는, 자리가 없는 관객 같아요. |

시원과 나리, 무대 위로 올라간다.

1
연극

시원   뿍극대원 여러분! 만나서 반갑습니다. 저는
         뿍극대장 뿍극입니다.

나리   저는 뿍극대원 뿍극입니다.

시원   우리 모두 다 뿍극입니다.

나리   우리 모두 같은 권리가 있으니까 다
         뿍극입니다.

시원   '뿍극님'을 불렀는데 모두 다 '네!' 하실 거
         같아서, 뿍극 앞에 꾸미는 말을 붙이면
         좋겠습니다.

나리   저는 노란 뿍극입니다.

시원   노란 뿍극님!

나리   네!

시원   저는 리본 뿍극입니다.

나리	리본 뿍극님!
시원	네!
함께	둘이 합쳐서 노란 리본 뿍극입니다!
시원	뿍극대원님들도 어떤 꾸밈말을 붙이면
	좋을지 천천히 생각해보세요!
나리	천천히 생각하시는 동안 연극을 하겠습니다.

시원	먼저! 저희는 경찰서에 갔습니다.

나리, 경찰 조끼를 입는다.

시원, 무대 오른쪽 의자에 앉는다.

이제 무대는 경찰서 민원실이 된다.

경찰	(어린이에게 친절히 대해주려고 다소 과장된
	목소리와 억양으로) 그래요?
시원	네. 그래서 CCTV가 있으면 좋겠어요.
경찰	CCTV는 잠깐만, 거기 펜 좀…….

경찰, 화이트보드에 왕복 8차선으로 되어 있는 사거리를
그리기 시작한다.

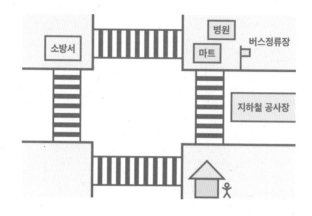

시원   (관객에게) 저희 집 앞에 엄청 큰 사거리가
있는데요. 폭은 40미터 정도이고 차로가
여덟 개나 돼요. 마트에 장 보러 갈 때 사거리
횡단보도를 건너거든요. 버스를 타러 가거나
병원에 가거나 도서관에 갈 때도요. 문제는
보행자 신호등이 초록색으로 바뀌었는데도
차가 그냥 지나갈 때가 엄청 많아요. 사람이
아직 횡단보도를 다 안 건넜는데 지나갈 때도
많고……. 그래서 경찰서에 왔어요.

경찰   이 사거리는 교통사고가 많이 발생하는
지역이라 여기에 우회전 신호를 설치할
거예요.

시원   (관객에게) 2022년부터 법이 바뀌었대요.

차가 우회전할 때는 횡단보도 앞에서 반드시
일시정지해야 한다고요.[1] 올해도, 작년도,
재작년도, 재재작년도, 재재재작년도
똑같던데, 차들은…….

경찰   그래서 지금 설치를 하려고 하는데, 여기 지금
공사장이 많죠.

시원   네.

경찰   지하철 공사 때문에 지금 바로 설치가 안 되고
있는 거예요. 차로가 공사 때문에 자주 바뀌다
보니까 정리가 될 때까지 기다리고 있는
거예요.

시원   (관객에게) 6학년이 돼야 지하철 다닌다고
했는데.

경찰   조금만 기다려요.

시원   (관객에게) 얼마나 조금만?! 내일? 모레? 내년?

경찰   하여튼 여기 우리 학생 말마따나 여기, 여기
신호등 다 설치하게 되면 조금 더 안전해지지
않을까 싶은데……. 됐을까요?

시원   CCTV가 있으면 될 거 같은데.

경찰   여기 지금 양쪽에 속도하고 신호 위반을 같이
단속하는 카메라는 있어요.

시원　　(관객에게) 근데 왜 차들은 신호 위반을
　　　　계속할까요? 대왕 카메라가 있어야 하나?
　　　　아니면 'CCTV 촬영 중'이라고 크게 써 붙여야
　　　　하나?

경찰　　사람이 없을 때는 횡단보도가 파란불이라도
　　　　우회전할 수 있어요.

시원　　파란불에는 멈춰야 하잖아요.

경찰　　일단 멈춘다는 건 이제 주변을 살핀다는
　　　　얘기거든요. 이렇게 큰 교차로에서는.

시원　　(관객에게) 이렇게 큰 교차로에서는 더 위험한
　　　　거 아니에요?

경찰　　이렇게 큰 교차로에서는 신호에 따라서
　　　　우회전하려고 하다 보면, 직진하는 차량
　　　　이렇게 막 겹치고 하는 그런 시스템 때문에
　　　　정체 해소를 위해서 사람이 없을 때는
　　　　우회전을 할 수 있어요. 오히려 횡단보도에
　　　　사람이 없는데 기다리고 서 있으면 뒤에서
　　　　빵빵댈 거예요. 뒤차는 '왜 안 가냐!' 앞차는
　　　　'왜 가냐!' 그렇게. '야, 넌 법도 모르냐!'

시원　　(관객에게) 사람이 있어도 가고, 사람이 없어도
　　　　가고, 그러면 신호등은 왜 있는 거예요?

경찰	횡단보도 위에 사람이 있을 때 지나가면 신호
	위반이죠. 일단 섰다가 사람이 없으면…….
시원	(관객에게) 그럼 난 사람인가……. 아니, 사람이
	아닌가……. 아니, 필요할 때만 사람인가…….
경찰	우리 학생이 또 열심히 공부해서 경찰대학
	가서 제대로 한번 단속하고 좀 해봤으면
	좋겠는데.
시원	…….
경찰	사탕 줄까?
시원	(못 들은 척하며 나리에게) 간장게장 먹으러
	가자.

나리, 경찰 조끼를 벗고 시원을 따라 나선다.

시원, 무대 왼쪽 책상으로 앞서 가며,

| 시원 | 여기 간장게장 하나요. |

이제 무대는 간장게장을 파는 식당이 된다.

시원과 나리, 책상 앞에 나란히 앉아 비닐장갑을 낀다.

접시를 각각 앞에 두고, 보란 듯 맛있게 간장게장을 먹기

시작한다.

나리	어땠어?
시원	그냥 그랬어.
나리	그냥 그랬어?
시원	경찰이 내가 생각한 것보다 친절했어.
나리	나쁘게 반응하는 사람이 있을 거라고 생각했어?
시원	응.
나리	어떻게 반응할 거라고 생각했길래?
시원	비웃는 것처럼.
나리	비웃어?
시원	어린이니까.
나리	전에도 그런 생각한 적 있어?
시원	(잠시) 응.
나리	언제?
시원	그거 지하철 막는 거.
나리	그때 경찰들이 시원이한테 어떻게 했는데?
시원	차단하는 것처럼.

멀리서 들려오는 지하철 소리.
시원, 무대에서 객석으로 폴짝 뛰어넘는다.
이제 객석은 열차 안이 된다.

나리   (관객에게) 2023년 1월 3일. 시원이는 아침 뉴스[2]를 보다가 지하철을 탔습니다.

시원   어린이집이나 유치원에서 경찰은 시민을 지켜주고 도둑을 잡는 용감한 캐릭터로 나왔는데. 이제 내가 열 살이 되어보니까, 어린이집이나 유치원에서 가르쳐준 건 현실이랑 다른 것 같아.

시원, 주위를 둘러본다. 빈자리가 없다.
흔들리는 열차에서 넘어지지 않기 위해 손잡이를
잡아보려 하지만 손이 닿지 않는다.

나리   삼각지역에서 열리는 전국장애인차별철폐연대의 '장애인 권리 예산·입법 쟁취 지하철 행동'[3]에 가기 위해서였습니다.

열차의 안내방송이 들려온다.
"이 역은 승강장과 열차 사이의 간격이 넓으므로, 타고 내리실 때 발이 빠지지 않도록 조심하시기 바랍니다."
시원, 열차에서 내리기 위해 객석 사이를 가로질러

오른쪽 끝에 선다.

시원   경찰이 아닌 것 같았어.

         경찰이라기보다는……. 뭐라고 해야 될까?

         뭔가 다른 사람 같았어.

열차 문 열리는 소리.

시원, 열차와 승강장 사이를 폴짝 뛰어넘는다.

나리   시원이는 삼각지역에 가기 전에

         동대문역사문화공원역에서 내렸습니다.

승강장은 서울교통공사의 해산 경고 방송으로 소란하다.

시원   장애인도 시민인데 지하철을 못 타게 하잖아.

나리   동대문역사문화공원역에는 삼각지역으로

         가려는 전장연 활동가들을 경찰이 에워싸고

         있었습니다.

시원, 핸드폰을 꺼내 투쟁 현장을 촬영한다.

나리   시원은 친구에게 문자를 보냈습니다.

시원   야, 경찰들이 장애인들 지하철 못 타게 막고
          있음.

나리, 시원 친구의 문자를 대독한다.

친구   헐.

시원   이거 봐봐. 경찰들 밉지 않냐.

친구   내 꿈이 부서짐.

시원   너는 멋진 경찰이 돼라. (현장의 또 다른 풍경을
          보여주며) 야, 이것도 보셈.

친구   민폐 짓 하고 있네.

시원   누가? 경찰이?

나리   친구의 장래희망은 경찰이었습니다.

승강장으로 열차 들어오는 소리 들린다.
"안전문이 열립니다. 발 빠짐 주의! 발 빠짐 주의!"
시원, 승강장과 열차 사이를 폴짝 뛰어넘는다.

시원   삼각지역으로 가려고 다시 지하철을
          탔는데……. (뒤돌아보며) 내 옆에서 지하철을

기다리고 있던 장애인은 못 탔어. 승강장이랑 지하철 사이가 너무 넓어서. 휠체어 바퀴가 빠지면 위험하니까. 그걸 보고 있던 경찰이 옆에 있는 문은 승강장 사이가 좁다고 안내를 하는데, 지하철 문이 닫혔어.

열차 문 닫히는 소리.

시원   장애인이 탈 때까지 기다리지 않고. (열차 안을 둘러보며) 지하철 안이 텅텅 비어 있었는데도.

열차가 출발한다.
시원, 반대쪽 문에서 내리기 위해 객석을 가로질러 왼쪽 끝에 선다.
열차 문이 열리면, 열차와 승강장 사이를 또다시 폴짝 뛰어넘는다.

시원   삼각지역에 내려서 1-1 승강장으로 가려고 하는데, 경찰이 날 보더니 10-4 승강장으로 가서 열차를 타라는 거야. (경찰을 향해 말하듯이) 아니 그게 아니라요. 저도 전장연

지하철 행동 참여하려고 온 건데요.

나리 그렇게 말했어?

시원 아니. 못 가게 막으면 어떻게 해. 경찰이 엄청
많았거든.

나리 그럼?

시원 연기했지. 6호선으로 갈아타러 가는 연기. 저,
6호선으로 갈아타려고요. 네, 감사합니다.

나리 (관객에게) 4호선에서 6호선으로 갈아탈 수
있는 연결 통로가 있는 1-1 승강장에 도착한
시원이는 전장연 활동가의 발언을 듣기 위해
기자들 사이를 비집고 들어갔습니다.

시원, 다시 핸드폰을 꺼내 그 모습을 촬영한다.
투쟁 현장의 소리 들려온다.

나리 근데 뉴스 보다가 갑자기 가야겠다는 생각을
한 거야?

시원 뉴스에 많이 나오는 전장연 아저씨 있잖아.
박경석☉ 아저씨. 그 아저씨 나오니까.

☉ 전국장애인차별철폐연대(전장연) 상임대표.

나리   박경석 아저씨 알아?

시원   박경석 아저씨 몰라?

나리   알지. 뉴스에 나오는 아저씨잖아. 박경석
         아저씨는 어떻게 알아?

시원   나는 박경석 아저씨 나오는 연극[4]을 봤거든.
         한겨울에 천막 안에서 관객들이랑 모여
         앉아서 군고구마도 먹고 귤도 먹고 노래도
         부르고 투쟁하는 얘기도 듣고. 끝나고
         약속했어. 나도 지하철 출근길 투쟁하는 데 꼭
         가겠다고. 아저씨랑 손가락 걸고 약속했거든.

시원, 투쟁 현장의 구호를 따라 외치며,

시원   장애인도 시민이다. 장애인도 시민이다.
         장애인도 시민이다. 투쟁!

전장연 박경석 대표를 향해 손을 흔든다.

시원   (무대 위 책상으로 돌아오며) 어땠어?

나리   뭐가?

시원   경찰서에서.

나리	경찰이 참 친절했어.
시원	맞아. 과하게 친절했어.
나리	친절한 건데 왜 기분이 별로였을까.
시원	너무 과해서.
나리	시혜랑 비슷한 건가?
시원	그게 뭐야?
나리	(핸드폰으로 찾아보며) 시혜는 '은혜를 베푸는 것'이라는 뜻이래. 그러니까 '내가 널 도와줄게' 같은?
시원	지난번에 노들장애인야학에 갔을 때 장애인을 돕는다고 하지 않고 '조력한다'는 말을 사용한다고 했거든. 근데 '돕는다'와 '친절을 베푼다'는 똑같지는 않지만 비슷해. 스스로 할 수 있는데 원하지 않는 도움을 주는 것처럼.
나리	어린이를 동등하게 대한다는 느낌은 아니었던 것 같아. 경찰이 돼라는 말도 좀…….
시원	맞아. 나도 내 꿈이 있는데. 경찰이 꼭 되어야 하는 것처럼 느껴졌어.
나리	시원이는 도움을 요청하러 간 게 아니라 안전함을 요구하러 간 거잖아. 문제를 당장

어떻게 해결하면 좋을까보다는 어린이를
기특하게 여기는 데 더 관심이 있었던 것
같아. 그러니까 경찰대학에 가라는 말이
나오지.

시원   그래서 미래 세대라고 하는 건가?

나리   어린이를 나와 동등한 권리를 가진
사람이라고 생각하지 않으니까 위계적인
태도가 생기는 거 같아. 너무 친절하거나 너무
친절하지 않은 방식으로.

시원   차별하는 거지.

나리   다시 가서 신호등 설치하기 전까지 단속을
자주 나와달라고 해야겠어.

시원   내 생각엔……

나리   시원이 생각엔?

시원   캠페인을 해야 할 거 같아.

나리   캠페인?

시원   노란 리본 캠페인.

나리   노란 리본 캠페인?

시원   근데 캠페인이 무슨 뜻이야?

나리   (핸드폰으로 찾아보며) 캠페인. 사회적,
정치적 목적 따위를 위하여 조직적이고도

지속적으로 행하는 운동.

시원   투쟁 같은 거네.

나리   (핸드폰으로 찾아보며) 투쟁. 사회운동,

노동운동 따위에서 무엇인가를 쟁취하고자

견해가 다른 사람이나 집단 간에 싸우는 일.

시원   둘 다 해야 하는 거네.

나리   노란 리본 캠페인을 어떻게 할 건데?

시원   일단은.

나리   일단은?

시원   대원을 모집해야지.

나리   대원?

시원   (관객을 보며) 뿍극.

나리   뿌욱끄윽?!

시원   북극곰이라는 뜻이야.

나리   북극곰 만나는 거야?

시원   빙하가 녹고 있잖아.

나리   북극 가는 거야?

시원   북극곰의 마음으로 하는 거야.

(의자 위에 올라가 빙하가 녹는 것을 바라보며)

야, 이러다 멸종이다! 대원 모집!

이런 느낌?

나리	근데 왜 노란 리본 캠페인이야?
시원	어린이가 안전한 세상은 북극곰도 안전한 세상이니까.
나리	대원 모집은 어떻게 하지?
시원	다시 해야지.
나리	뭘?
시원	연극.
나리	〈2014년 생〉 다시 하자고?☎
시원	나도 연극 보러 갔다가 전장연 출근길 투쟁하러 갔잖아.

시원, 〈2014년 생〉을 시작하기 위해 화이트보드를 무대 밖으로 옮기는 등 크고 작은 도구들을 정리한다.

나리   (그 모습 바라보며, 관객에게) 연극. 작년에
        시원이랑 같이 연극을 만들기 전까지는
        어린이에 대해서 잘 몰랐어요. 그때 주희랑
        시원이랑 같이 기억교실, 팽목항, 목포신항에
        가서 찍은 영상을 다시 열어봤거든요. 아홉

☎ 〈2014년 생〉은 2022년 4월 28일-5월 7일 신촌극장에서 초연됐다.

살의 시원이는 내가 상상하는 것보다 훨씬
더 많은 것을 할 수 있는 사람이었더라구요.
열 살의 시원이도 그렇겠구나. 어린이란
많은 걸 할 수 있는 존재구나. 내가 몰랐던
것뿐이구나. 내가 알려고 하지 않은
것뿐이구나…….

시원   (나리에게) 괜찮아.

나리   (시원에게) 괜찮아?

시원   지금부터 알아가면 되지.

2
알아가기

시원과 나리, 무대 중앙에 서서 관객을 바라본다.

나리   '뿍극대원 되기 1. 알아가기.'

시원   뿍극대원이 되기 위해서는 꼭 알아야 할 것이 있어요.

나리   그게 뭐예요?

시원   그건 바로!

나리   두구두구두구두구!

시원   세월호 참사입니다. 빠밤!

나리   리본 뿍극님은 어떻게 세월호 참사를 알게 되었어요?

시원   엄마가 알려줬어요. 근데 다 알려주지는 않았어요.

나리	왜요?
시원	그건 진상조사위원회도, 특별조사위원회도
	모른대요. 세월호가 왜 바다에 가라앉은 건지,
	사람들을 왜 구하지 않은 건지…….
나리	(관객에게) 세월호 참사 알아가기.

시원, 무대 위 오른쪽 의자에 앉는다.
이제 무대는 시원의 집이다.

시원	혼자서도 글을 잘 읽을 수 있게 되었을 때,
	엄마가 책을 줬어요.
나리	홀.
시원	만화책이에요.
나리	어느 세월호 생존자 이야기.

시원, 책 《홀: 어느 세월호 생존자 이야기》[5]를 펼쳐
읽는다.

시원	엄마, 아저씨가 세월호라는 홀에 계속 빠진대.
	엄마, 아저씨 옷을 누가 잡아당겨서 계속
	세월호로 돌아가. 엄마, 이거 봐. 정말 이런

일이 계속 일어나고 있는 거야? (무대 너머를

향해) 엄마. 엄마. 엄마, 내 말 듣고 있어!?

나리 1학년 겨울방학의 일이었습니다.

시원 (고개를 가로저으며) 엄마한테 물어보는 건

정말 한계가 많이 있더라고요. 그래서! 주희

언니랑 함께 '세월호의 장소들'[6]로 여행을

떠났어요. 직접 가서 함께 보니까 질문이

훨씬 더 많아지더라고요. 준비한 질문이

48개였는데 300개 넘게 질문한 거 같아요.

나리 어떤 질문들이었는지 뿍극대원님들한테

쪼끔만 소개해주시면 안 돼요?

시원 가장 친한 친구는 누구야? 칠판에 언니가

쓴 글씨도 있어? 배는 얼마나 커? 배에서

친구들이랑 뭐 하고 놀았어? 무슨 과자

먹었어? 언니는 세월호 어디에 있었어? 왜

진도에 온 거야? 왜 등대에 노란 리본이 있어?

왜 빨갱이라고 하는 거야? (두 손으로 자신의

입을 황급히 막으며) 더 이상은 스포일러라서

안 돼요! (잠시) 이제는 알아요. 이 만화책에

나오는 세월호 참사도, 생존자 아저씨가

매일 세월호 참사라는 홀에 빠지는 것도 다

실재라는 거.

나리　실재요?

시원　옛날이야기 들으면 머릿속으로 막
상상하잖아요. 세월호 참사도 그랬거든요.
엄마가 해주는 이야기 들으면서 제가 만든
머릿속 상상으로만 존재했어요. 그런데 주희
언니와 세월호의 장소를 함께 여행하니까
돌아오지 못한 언니 오빠들이 사진으로
찍혀서 마음속에 있는 기억 저장소에
들어갔어요.

다음 장면을 준비하는 두 사람.

나리, 스트레칭을 하며 몸을 푼다.

시원, 나리에게 대본을 건넨다.

나리, 대본을 들고 홀로 조명을 받으며 연극적으로
연기한다.

나리　세월호 참사 이후 학교에는 안전 교육이
전면적으로 도입되었다. 지진 대피 훈련
화재 대피 훈련 공습경보 대피 훈련 성폭력
예방 교육 성매매 예방 교육 학교 폭력 예방

교육 가정 학대 예방 교육 감염병 예방 교육
생존 수영 심폐 소생술 및 응급 처치 교육
생명 존중 자살 예방 교육을 학기별로 1-2회
이상 의무적으로 하고 이외에도 연간 50회
이상 안전 교육을 수업 중에 실시해야 한…….
대본에 쉼표가 없……. 깨꼬닥.

나리, 대본에 쉼표가 없어 숨을 쉬지 못하고 기절한다.

시원   으악, 노란 뿍극님!!!! (나리에게 달려가
          심폐소생술을 하며) 대본에 쉼표가 없다고…….

나리, 관객을 등지고 앉은 시원을 보고 일어나,

나리   저기, 리본 뿍극님, 뿍극대원님들이 다
          뒷모습만 보고 있잖아요. 이쪽으로.
시원   (관객을 돌아보고) 아하!

시원, 관객에게 자신의 앞모습이 잘 보일 수 있도록
객석을 향해 자리를 옮겨 앉는다.
나리, 다시 기절한다.

시원   으악, 노란 뿍극님!!!! (심폐소생술을 다시
         시작하며) 대본에 쉼표가 없다고 진짜로
         숨을 안 쉬고 대사를 하면 어떻게 해요!!!!
         학교 다닐 때 연기 수업 받았잖아요!!!! 배운
         사람 배우라면 알아서 숨 쉴 곳을 찾아
         살아남아야죠!!!!!

시원, 나리의 얼굴에 귀를 가까이 대고 숨을 쉬는지
확인해보지만 미동이 없다.

시원   (고개를 가로저으며) 더 이상 배우로서 가망이
         없네요. 저 혼자 연극을 계속해야겠습니다.

시원, 나리 대신 홀로 조명을 받으며 대사를 이어간다.

시원   안전 교육은 유치원 때부터 하는데요.
         초등학교 1학년과 2학년은 일주일에 한 번씩
         '안전' 교과서로 수업을 받고요. 초등학교
         3학년과 4학년은 생존 수영을 배워요.
         저도 얼마 전에 생존 수영을 다녀왔거든요.
         오랜만에 수영장에 가는 거라 너무 떨리는

거예요. 내가 잘할 수 있을까. 내가 잘할 수 있을까. 내가 잘할 수 있을까. 1단계는 수영을 아예 못하는 친구들. 2단계는 발차기 할 줄 아는 친구들. 3단계는 자유형 배영 접영 할 줄 아는 친구들. 4단계는 이 모든 것을 할 수 있고 평영까지 할 줄 아는 친구들. 이렇게 1단계부터 4단계까지 단계별로 나눠서 물에서 생존하는 법을 배우는 게…… 아니라! (수영장에 들어가듯 객석으로 뛰어들며) 풍덩! 수영하는 법을 배웠어요.

나리   (놀라 벌떡 일어나며) 뭐라고요?

시원   꺅! 노란 뿍극님!!!

나리   그럼 생존 수영도 일주일에 한 번씩 수업을 해요?

시원   아니요. 2교시씩 세 번만 해요.

나리   일주일에 세 번이요?

시원   아니요. 일 년에 세 번이요.

나리   일 년에 세 번?!?! (충격을 받고 다시 기절하며) 깨꼬닥.

시원, 객석을 수영장의 레인 삼아 그 사이를 천천히

유영한다.

시원　　　수영을 할 줄 몰라도 물에서 생존하는

　　　　　　법을 알아야 할 거 같은데. 4학년이 되면

　　　　　　생존도 배울 수 있겠죠? 생존 수영을 왜

　　　　　　배우는지, 이 수업이 왜 생겼는지도 선생님이

　　　　　　가르쳐주시겠죠? (나리가 여전히 무대 위에

　　　　　　쓰러져 있는 것을 보고) 언젠가 심폐소생술도

　　　　　　배울 수 있겠죠?

시원, 무대 위로 올라가 나리에게 심폐소생술을 다시
시도해보지만 깨어나지 않는다.

시원　　　안 되겠어요. 뿍극님들, 자동심장충격기 좀

　　　　　　가져다주세요.

나리　　　(자동심장충격기라는 말에 놀라 일어나며)

　　　　　　어떻게 된 거예요?

시원　　　대사하다가 숨 쉴 곳을 못 찾으셨어요.

나리　　　(대본을 다시 보며) 분명히 관객 입장하기

　　　　　　전까지만 해도 쉼표가 있었는데 어떻게 된

　　　　　　거지?

시원	안전한 사회를 만드는 대신 '안전 교육 받고 알아서 살아남으라'는 대한민국에서 겨우 생존 중인 이 어린이의 마음! 이제 아시겠죠?
나리	그럼⋯⋯. 혹시⋯⋯. 설마⋯⋯.
시원	네. 맞아요. 제가 대본에 있는 쉼표를 다 지웠어요.
나리	(잠시) 죄송합니다.
시원	아닙니다. 제가 죄송합니다.
나리	사실⋯⋯. 저도 고백할 게 있어요.
시원	뭔데요?
나리	교통안전 말인데요.
시원	교통안전이 왜요?
나리	저는 무신호 횡단보도에서 일시정지 규정을 지키지 않았습니다.
시원	노란 뿡극님!!!!!
나리	고속도로에서 과속 딱지를 떼기도 합니다.
시원	저 잠시 깨꼬닥하는 시간을 가져야 할 거 같아요.
나리	하지만 어린이 보호구역에서는 시속 30킬로미터를 지켰습니다. 믿어주세요.
시원	어린이가 어린이 보호구역에만 있는 게

아니잖……꼬닥.

시원, 바닥에 쓰러진다.

나리　(시원을 흔들어 깨우며) 리본 뿍극님, 깨꼬닥한
　　　척 마시고…….

시원, 갑자기 일어난다.

나리　왜요?

시원　저기 뒤에 앉아계신 분들은 잘 안 보일 거
　　　같아서요.

나리　아…….

시원　(서 있는 채로 기절하며) 깨꼬닥.

나리　리본 뿍극님, 깨꼬닥한 척 마시고 차라리 저를
　　　탓하고 혼내고 신고해주세요. 증거로 자동차
　　　블랙박스 영상을 제출하겠습니다.

시원　(깨어나 전화를 걸며) 여보세요? 거기 112죠?
　　　도로교통법 위반 신고하려고요. 네. 증거도
　　　다 있고요. 혐의를 인정하고 있어요. 아, 겨우
　　　벌금 6만 원에 벌점 10점 받으면 된다고요?

네, 알겠습니⋯⋯닥.

시원, 바닥에 쓰러진다.

시원   아, 맞다. 뒤에서 안 보이지. (다시 일어나서 선
        채로 기절하며) 깨꼬닥.
나리   리본 뿍극님, 듣고 계시죠? 저는⋯⋯.

시원, 서서 기절한 연기를 하다 말고 눈을 떠서 나리를
바라본다.

나리   또 왜요?
시원   근데 이렇게 서서 쓰러지는 거 좀 이상하지
        않아요?
나리   이상하긴 한데, 어쩔 수 없잖아요. 연극은
        계속해야죠.
시원   그럼 물어볼까요? 보이는지?
나리   좋아요.
시원   (관객에게) 뒤에 앉은 뿍극님들, 저 보이세요?

관객들, "네."라고 대답한다.

시원   (바닥에 누워서) 이렇게 해도 저 보이세요?

관객들, 사실 잘 안 보이지만 "네."라고 대답한다.

시원   거짓말하지 마세요. 제가 아까 리허설할 때 다
              봤단 말이에요. 안 보이는 거.

나리   그럼 어떻게 하죠?

시원   무대를 바꿔볼까요?

나리   어떻게요?

시원   동그랗게요. 다 같이 둘러앉으면, 모두가
              우리를 잘 볼 수 있지 않을까요?

나리   (관객들에게) 다들 괜찮으세요?

관객들, 다시 "네."라고 대답한다.

시원은 객석의 12시 방향에, 나리는 6시 방향에 빈
의자가 서로 마주 보도록 놓는다.

시원   뿍극님들, 우리 동그랗게 둘러앉아요.

관객들, 시원과 나리의 의자 곁에 자신의 의자를 옮겨

동그랗게 둘러앉는다.

이제 무대와 객석은 경계가 없다.

시원   (원의 가운데로 나오며 나리에게) 우리

             '죄송합니다'부터 다시 해볼까요?

나리   좋아요.

나리   죄송합니다.

시원   아닙니다. 제가 더 죄송합니다.

나리   사실……. 저도 고백할 게 있어요.

시원   뭔데요?

나리   교통안전 말인데요.

시원   교통안전이 왜요?

나리   저는 무신호 횡단보도에서 일시정지 규정을

             지키지 않았습니다.

시원   노란 뿍극님!!!!!

나리   고속도로에서 과속 딱지를 떼기도 합니다.

시원   저 잠시 깨꼬닥하는 시간을 가져야 할 거

             같아요.

나리   하지만 어린이 보호구역에서는 시속

             30킬로미터를 지켰습니다. 믿어주세요.

시원　　　어린이가 어린이 보호구역에만 있는 게
　　　　　　아니잖……꼬닥.

시원, 바닥에 쓰러진다.

나리　　　리본 뿍극님, 깨꼬닥한 척 마시고 차라리 저를
　　　　　　탓하고 혼내고 신고해주세요. 증거로 자동차
　　　　　　블랙박스 영상을 제출하겠습니다.

시원　　　(깨어나 전화를 걸며) 여보세요? 거기 112죠?
　　　　　　도로교통법 위반 신고하려고요. 네. 증거도
　　　　　　다 있고요. 혐의를 인정하고 있어요. 아, 겨우
　　　　　　벌금 6만 원에 벌점 10점 받으면 된다고요?
　　　　　　네, 알겠습니……닥.

시원, 바닥에 쓰러진다.
나리, 시원 곁에 무릎을 꿇고 앉는다.

나리　　　리본 뿍극님, 듣고 계시죠? 사실 저는
　　　　　　무신호 횡단보도에서 일시정지 후 출발
　　　　　　규정을 지키지 않은 사람 중 한 명입니다.
　　　　　　리본 뿍극님과 경찰서에 가기 전까지는

일시정지가 의무인 줄도 몰랐습니다.

반대로 교차로에서 우회전할 때는 보행자 신호가 파란색이면 사람이 있든 없든 계속 서 있었어요. 뒤에서 차가 빵빵거리면 저 차는 왜 보행자 신호가 끝날 때까지 기다리지 못할까 생각하면서요. 내가 꽤나 교통안전을 잘 준수하는 사람이라고 생각하면서요. 경찰서에 가기 전에 리본 뿍극님과 이곳 교차로에서 교통사고가 얼마나 자주 일어나는지 함께 찾아봤지요. 어린이보다 50대 이상 중장년 보행 사고가 훨씬 많았잖아요. 그걸 보다가 할머니 생각이 났어요. 제 할머니는요, 94세까지 건강하게 사시다가 후진하는 차에 부딪혀서 턱과 팔이 부러지시고는 치매가 빠르게 진행돼서 돌아가셨거든요. 입을 다물 수가 없어서 식사도 제대로 못 하시고요. 그런데도 제가 그랬더라고요. 보행자 안전보다 목적지에 시간 맞춰 도착하는 게 더 중요했더라고요. '꽤' 교통안전을 잘 준수한다는 건 '안' 준수한다는 말과 같은 건데. 안전한 사회를 만들겠다는 약속, 했는데 나도.
(잠시) 뿍극대원 자격이 없어 이만 활동을
종료합니다. (모두에게) 저 대신 여러분께서
뿍극대원님이 되어주세요. 총총.

나리, 자신의 가방을 메고 극장 문 밖으로 나가려 한다.

시원   지켜주지 못해 미안하다면서요.

나리   네?

시원   노란 뿍극님, 이렇게 무책임하게 떠나버리면,
        여기 계신 뿍극님 중 남고 싶은 뿍극대원님은
        과연 몇 명이나 될지 생각해보셨어요?

나리   2022년 기준 전 국민의 66%가 운전면허가
        있으니까 장롱면허 포함해서 운전면허 없는
        사람이 40%라고 하면, 국민 10명 중 4명만
        뿍극대원으로 남을 거 같아요.

시원   아까 경찰서 장면부터 나가고 싶었지만, 아동
        청소년에게 안전한 사회를 만들겠다는 기억,
        책임, 약속을 다하기 위해 모두 가시방석에
        앉아 계시잖아요.

나리   죄송합니다. 저는 제 엉덩이만 따가운 줄

알았어요.

시원 제가 다시 대원이 될 수 있는 기회를
      드릴게요.

나리 어떻게요?

시원 가방을 열어보세요.

나리 가방이요?

시원 네.

나리, 가방 안에서 손가락 두께만 한 흰 줄을 꺼낸다.

나리 이건 줄이잖아요.

시원 줄을 계속 꺼내볼까요? 뿍극님들도 함께
      도와주시겠어요?

나리, 관객에게 줄을 건넨다. 다음 사람, 그다음 사람이
줄을 잡을 수 있도록 시계 방향으로 이동하며 줄을 계속
꺼낸다. 가방 안의 줄은 끝없이 이어져 나온다. 모든
관객이 줄을 잡고 나서야 비로소 줄의 끝이 보인다.
줄 끝에는 노란 리본이 묶여 있다.

나리 이건 노란 리본이잖아요.

3
다가가기

시원 주희 언니랑 팽목항에 갔는데요. 리본이 엄청
많이 달려 있었어요. 근데 리본이 다 낡아서
끊어졌더라구요. 팽목항이 되게 쓸쓸해
보였어요. 그때 제가 뭘 해야 할지 직감이
왔어요.

사이.

시원 '뿍극대원 되기 2. 다가가기.'

나리, 가방 안에서 노란색 리본끈 한 묶음을 꺼내
보여준다. 리본끈의 길이는 약 70센티미터이고,
20-30개가 하나로 묶여 있다.

시원과 나리, 리본끈을 관객에게 한 묶음씩 나눠 준다.
관객에게 다 나눠 준 뒤 시원은 12시 방향의 빈 의자에,
나리는 6시 방향의 빈 의자에 가서 앉는다.

시원   제가 노란 리본 매는 법을 알려드릴게요.
         (리본끈 묶음에서 하나를 빼 보여주며) 리본을
         반으로 접어서.
나리   리본을 반으로 접어서.
시원   줄 위에 놓고.
나리   줄 위에 놓고.
시원   고리 안에 끼워 넣으면 완성!
나리   고리 안에 끼워 넣으면 완성!
시원   여러분, 이거 다 하셔야 해요!

관객 모두, 노란 리본을 줄에 정성스럽게 매기 시작한다.
공연 내내 자신의 속도에 맞게 노란 리본을 매며 시원과
나리를 보기도 하고 듣기도 한다.
이제 배우와 관객이라는 경계는 사라지고, 함께 노란
리본을 매는 시민으로 같은 시공간을 공유할 뿐이다.
시원과 나리의 모든 발화 또한 모두를 향한다.

시원   (노란 리본을 매며) 근데 왜 노란 리본일까요?

나리   그리운 사람의 무사 귀환을 바라는
마음이래요. 세월호 참사 당시에 '하나의 작은
움직임이 큰 기적을' 바라는 마음으로 노란
리본 달기 캠페인을 했어요.[7]

시원   스텔라데이지호 주황 리본은요?

나리   리본 색깔이 주황색인 이유는 자동 전개된
구명벌의 색깔이 주황색이기 때문이래요.[8]

시원   김용균 님 보라 리본은요?

나리   캐나다와 영국에서 산업재해로 숨진
노동자를 추모할 때 사용한대요.[9]

시원   이태원 참사 보라 리본은요?

나리   리본은 보라색이지만, 이태원 참사 별자리
배지에는 할로윈 축제와 안전을 상징하는
주황색과 밤하늘, 애도, 독특함이라는
보라색의 별이 이어져 있는데요, 네 개의
별은 희생자, 생존자, 지역 주민과 상인, 공적
구조자와 우리를 의미한대요.[10]

시원   우리요?

나리   참사의 목격자인 우리도 피해자라고요.

시원   검은 리본은요?

나리   검은색은 추모할 때 쓰이잖아요. 서이초
　　　　　선생님 돌아가셨을 때도 추모와 애도의
　　　　　의미로 검은 리본을 사용했어요.

시원   다른 색도 있어요?

나리   다른 색이요?

시원   다른 색도 있는지 궁금했어요.

나리   찾아볼게요.

시원   다음 색도 있을까요?

사이.

조명 천천히 어두워지며,

2022년 4월, 주희와 시원이 떠난 여행 '세월호의

장소들'에서 나눈 대화가 들려온다.

음향.

— 세월호의 장소들: 진도 팽목항에서[11]

팽목항에 부는 거센 바람 소리.

시원   언니, 여기가 참사 위치야?

주희　　　아니. 여긴 팽목항이고, (먼 곳을 향해)

　　　　　저-쪽에서 언니가 사고가 나가지고 이쪽으로

　　　　　온 거야.

시원　　　아아. 가보자.

방파제 위를 걷는 소리.

시원　　　여기 그림이랑 글이랑 엄청 많네. '잊지

　　　　　않겠습니다.'

주희　　　그치. 다 기억해주시는 분들이야. 언니한테는

　　　　　되게 감사한 분들이다.

시원　　　그래?

주희　　　그럼. 언니 친구들 잊지 않고 기억해준다고

　　　　　했는데.

시원　　　나도 그리고 싶다.

주희　　　시원이도 그리고 싶어? (웃음)

시원　　　우리 이제 가볼까?

주희　　　어디로 갈 건데?

시원　　　등대로 가야지, 등대.[12]

주희　　　등대로 갈 거야?

시원　　　응. 가자.

사이.

나리   (모두에게) 2022년 5월 5일엔 리본

뿍극님이랑 신촌극장에서 〈2014년 생〉

공연을 했거든요. 5월 5일이 다가오니까 리본

뿍극님 생각이 났어요. (시원에게 문자 메시지를

보내며) 뿍극뿍극. 5월 5일에 뭐 할 거야?

시원   뿍극뿍극. 노란리본 극단 엄마들 공연[13] 보러

가려고.

나리   뿍극뿍극. 오, 같이 가자!

시원   뿍극뿍극. 그래!

나리   뿍극뿍극. 받고 싶은 선물은 없어?

시원   뿍극뿍극. 선물? 음…….

나리   (모두에게) 작년에는 어린이 아니고

청소년이라며 선물 안 받겠다고 했었거든요.

시원   (모두에게) '어린이'라는 말은 왠지 무시하는

거 같아서 싫었거든요. '어른스럽다'는 말은

칭찬할 때 사용하잖아요. 생각해보니까 내가

나를 차별하는 거더라고요. 그래서!

(나리에게) 우리 시위하러 가자!

나리   시위?

시원   5월 5일은 '어린이 차별 철폐의 날'이니까.

나리   우리는 세월호 기억공간[14] 지키기 1인
        시위[15]를 하러 갔습니다.

시원   어린이가 피켓을 들면 사람들이 많이 봐주지
        않을까요?

시원과 나리, 관객이 둘러앉아 있는 원 밖으로 나온다.

거리에 비가 내린다.

이제 무대는 세월호 기억공간 앞이다.

나리, 시원을 기다리며 문자를 보낸다.

나리   뿍극뿍극. 나 도착했어. 어디야?

시원   뿍극뿍극. 미안 미안. 조금 늦을 거 같아.

나리, 먼저 피켓을 들고 1인 시위를 시작한다.

나리   기억공간에서 피켓을 받아서, 서울시의회
        앞에 먼저 자리를 잡았어요. 집회는 가봤어도
        1인 시위는 처음이라 긴장도 되고. 혼자
        있으려니 좀 뻘쭘하기도 하고. 10분이
        50분처럼 느껴졌어요.

시원   (뛰어오며) 많이 기다렸어?

나리   와, 리본 뿍극님 오니까 얼마나 반가웠는지.

시원, 나리와 조금 떨어져 서서 피켓을 든다.

시원   비가 와서 길에 사람이 별로 없더라고요.
        행사도 다 취소되고. 사람 많았으면 진짜
        신났을 텐데.

나리   덕수궁 옆이라 그런지 외국인들이 호기심
        가득한 얼굴로 피켓을 보더라고요. 혹시 이게
        뭐냐고 물어보면 뭐라고 대답해줘야 하지?
        (더듬더듬 문장을 만들어보며) Nine years ago...
        we had... a big tragedy... called the Sewol ferry.
        This place is for memorial the tragedy but...
        어어! 외국인 어디 가? 나 지금 준비됐어!

시원   버스에 탄 사람들이라도 볼 수 있게 피켓을
        들고 흔들었어요. 여기요! 여기! 세월호
        기억공간이 없어진대요!

나리   전국에 세월호 참사를 모르는 사람은 없을
        텐데. 앞만 보고 지나가는 사람들 속이
        궁금해지더라고요. 피켓에 눈길 한 번은 줄 수

있잖아요. 조금 떨어진 곳에 서 있는 경찰도
괜히 신경 쓰이고. 이런저런 생각을 하고
있는데…….

시원   (지나가는 버스를 향해 피켓을 흔들며) 여기요!
여기! 세월호 기억공간이 없어진대요!

나리   어떤 분이 리본 뿍금님 쪽으로 다가가는
거예요. (다소 긴장하며) 뭐지? 무슨 상황이지?
뛰어가서 막아야 하나?

시원   고맙습니다.

나리   왜?

시원   사탕 주셨어.

나리   다행이다.

시원   왜?

나리   놀랐어.

시원   왜?

나리   그러게…….

시원   무슨 맛 먹고 싶어?

나리   레몬 맛.

시원, 나리에게 레몬 맛 사탕을 건넨다.

시원   아까 어떤 가족이 지나가다가 다시 돌아보고
            '수고하세요.' 하셨다. 근데 나한테는 이렇게
            들렸어. '고맙습니다.'

나리   나는 눈 마주쳐준 사람들이 조금 있었는데,
            응원해주는 기분이었어.

시원   버스 안에 있던 사람들까지 포함해서 내 피켓
            본 사람 몇 명인지 세어봤거든! 135명이나
            된다!!

나리   한 시간이 후딱 지나갔어요. 처음에 긴장한
            걸 생각하니까 이렇게나 쉬운 일이었구나
            싶더라고요. 내가 작은 마음을 먹고도 할 수
            있는 일이구나. 어려운 일이 아니구나. 그
            작은 마음을 먹는 게, 어려운 일이었구나.

두 사람, 피켓을 정리한다.

시원   근데 서울시의회는 왜 기억공간을 없애려고
            하는 거야?

나리   모두가 사용하는 땅이라서?

시원   모두가 사용하는 땅이니까 있어야 하는 거
            아니야?

나리   기억공간이 왜 계속 있었으면 좋겠어?

시원   애도하는 사람들에게 필요할 수 있으니까.
       꽃도 사다 놓고, 편지도 쓰고, 선물도 엄청
       준비하고 그랬는데, 기억공간에 가져다
       두려고 했는데, 갑자기 없어지면 사람들이
       막 서운해하고 그럴 거잖아. 가까운 곳에서
       애도할 수 있는 공간이 필요해.

사이.

나리   우리 이태원 참사 분향소도 가볼까?

시원   어디 있는데?

나리   여기 횡단보도 건너서 서울광장에.

두 사람, 서울광장으로 향하는 횡단보도 앞에 선다.
비가 서서히 멈춘다. 극장이 무지갯빛으로 물든다.
시원, 홀로 원 안으로 들어간다.
이제 무대는 서울광장이다.

시원   저는 서울광장 하면 제일 먼저 크레페가
       생각나요. 엄마한테 먹고 싶다고 졸라서

꼭 먹는데요. 특별해서 더 맛있었던 날은
처음으로 퀴어퍼레이드에 간 날이에요.
부스 참여해서 맛있는 것도 먹고, 타투도
하고, 굿즈도 받고. 제일 기억에 남는 건
무지개 곰돌이예요. 축제에 온 모두가
친절하게 대해주셨어요. 그건 불편한 친절이
아니었어요. 신나고, 즐겁고, 자유롭고, 진짜
멋진 축제였어요.

시원, 두 손을 들고 관객 한 사람 한 사람씩 모두와
하이파이브를 한다.
눈과 손을 마주치며 서로가 살아 있음을 확인하고,
환대와 연대의 마음을 나눈다.

시원   (원 밖으로 나가며) 행진하기 전에 크레페
먹으러 가려고 광장 밖으로 나갔는데요.
흰 옷을 입은 사람들이 퀴퍼 반대 피켓을
들고 있었어요. 스피커에서는 나쁜 말들이
나오고요. 심장이 빨리 뛰고, 숨이 막힐 거
같았어요. (다른 길을 찾아 나서며) 시청역으로
내려갔는데, 흰 옷을 입은 어린이들이 모두

저를 쳐다봤어요. 저는 다 무지개였거든요.
모자도, 망토도, 가방도. 무섭기도 하고, 뭔가
안타까웠어요. 퀴퍼 놀러 와보면 알 텐데
광장에는 어린이를 존중해주는 사람들이
정말 많다는 걸.

시원, 무지갯빛이 천천히 지나가는 것을 바라본다.

시원   올해는 왜 퀴어퍼레이드 안 했어요?

나리   하긴 했는데 서울광장에서 못 했어요.

시원   왜요?

나리   어린이 청소년 관련 행사가 우선이라고요.[16]

시원   어린이 청소년도 퀴퍼 갈 수 있는데.

나리   퀴어 어린이 청소년을 위한 축제이기도 한데.

시원   꼭 이럴 때만 등장한다니까요, 어린이라는
단어는. 용산 어린이 정원이나 새만금
잼버리처럼요. 어린이를 정치적으로
이용하면서 정작 어린이 안전에는 관심도
없잖아요. 학생인권조례도 없애겠다,
성평등 도서도 없애겠다, 현장체험학습도
없애겠다…… 왜 그럴까요. 우리가 투표권이

없어서?

나리　　현장체험학습을 없애요? 왜요?

시원　　여기서 뿍통신!

시원, 자신의 하늘색 가방 안에서 '뿍극통신문'[☎]을 꺼내
보여준다.

시원　　'뿍극통신문' 읽어주실 뿍극대원님 세 명 손
　　　　　들어주세요!

시원, 손을 든 관객(뿍극대원)에게 다가가 '뿍극통신문'을
보여준다.

뿍극대원 1, 2, 3은 뿍극통신문을 나누어 읽는다.

대원1　　2023학년도 2학기 현장체험학습 취소
　　　　　안내. 학부모님, 안녕하십니까? 2학기
　　　　　현장체험학습 운영에 대해 알려드립니다.
　　　　　법제처의 유권해석(법제처 22-0622)에
　　　　　따르면 교육과정의 일환으로 이루어지는

[☎] 2023년 8월 시원이 학교에서 받아 온 가정통신문이다.

현장체험학습을 위한 어린이(도로교통법 제2조 제23호에 의거 13세 미만인 사람) 이동이 도로교통법상 어린이 통학 등에 해당한다고 하였으며, 이에 따라 경찰청에서는 수학여행이나 수련활동 등 비정기적으로 운행하는 차량도 어린이 통학 버스 신고 대상에 포함되어 관련 규정에 의거 관할 경찰서에 신고하여 운행하도록 하였습니다.

대원2 법제처의 위와 같은 법령 해석에 따라, 현행법상 관련 법령에 맞는 '어린이 통학 버스'만 현장체험학습 및 소규모 테마형 교육여행에 이용이 가능합니다. 어린이 통학 버스는 '자동차 및 자동차부품의 성능과 기준에 관한 규칙'에 따라 황색으로 도색해야 하고, 좌석의 규격 및 좌석 안전띠, 어린이 보호용 좌석 부착장치 등 별도의 장치를 구비해야 합니다. 어린이 통학 버스가 아닌 일반 전세 버스로 현장체험학습 및 소규모 테마형 교육여행을 진행하는 것은 위법입니다.

대원3	이에 본교에서는 체험학습을 위해 일반
	전세버스를 이용하는 것이 위법이라는
	법제처의 해석과 어린이 통학 버스 관련
	규정에 맞는 버스를 구할 수 없는 현실적인
	문제 등으로 인해 부득이하게 2학기에
	예정되었던 모든 현장체험학습을 취소하게
	되었습니다. 학생들의 안전한 교육활동을
	위해 학교에서도 최선을 다하겠습니다.

시원, 뿍극통신문을 다시 가방에 넣는다.

시원	왜 어린이 통학 버스를 아직도 안
	만들었을까요.
나리	아직이요?
시원	유치원 다닐 때도 취소된 적 있었거든요.[17]
나리	유치원이면 벌써 3년도 더 넘은 일인데
	어린이 통학 버스 구하기가 왜 이렇게
	힘들대요?
시원	돈이 안 돼서 그러나…….
나리	왜요?
시원	저출생 시대잖아요.

나리   어차피 저출생이니까 현장체험학습도 가지
말라는 건가요? 버스 회사에서 버스를 안
만들면 교육부든 행정안전부든 국토교통부든
만들어야 하는 거 아니에요? 현장체험학습을
없애는 게 아니라 어떻게 하면 안전하게
다녀올 수 있을지를 고민해야 하는 거
아니에요? 아 진짜 화나네.

시원   세월호 참사랑 어린이 보행 교통사고는 닮은
점이 많은 거 같아요.

나리   어떤 게요?

시원   해경이 사람들을 구하지 않은 것처럼
운전자들도 교통안전을 잘 지키지 않잖아요.
적극적으로 구조하지 않는 느낌.

나리   그래서! 읽어봤습니다.

시원과 나리, 책상으로 가서 쌓여 있는 책을 들어 보이며
모두에게 소개한다.

시원   《시사IN》특별기획, '스쿨존 너머'!

나리   《울고 있는 아이에게 말을 걸면》, 제3장 목숨
건 등굣길!

시원   뿐만 아니라!

나리   사회적참사특별조사위원회의

       《4.16세월호참사 종합보고서》!

시원   ······는 제가 읽기에 너무 길고 어려운 단어가

       많아서······.

나리   《4.16세월호참사 종합보고서》······를 분석한

       TF 자료집!

시원   (우는소리로) 이거 읽느라 너무 힘들었어요.

두 사람, 책을 가득 품에 안고 원 안으로 들어온다.

나리   동물학자 제인 구달 선생님은 이렇게

       말씀하셨습니다.

시원   '알아야 사랑한다. 사랑해야 돕는다. 도와야

       구할 수 있다.'

나리   뿍,

시원   극한 활동,

나리   구조에 다가가기.

시원   극한 불법!

나리   극한 혐오!

시원   극한 돈돈!

나리　　극한 노동!

사이.

두 사람, 책을 바닥에 내려놓고, 시원은 분홍색 마커펜을,
나리는 하늘색 마커펜을 필통에서 꺼내 든다.
시원, 바닥에 불규칙적으로 흩어져 있는 크고 작은 흰
점의 무리들을 펜으로 연결하기 시작한다.

나리　　가장 기억에 남는 문장은 뭐였어?
시원　　'어린이가 사고를 당한 장소에 점을 찍으면
　　　　　대한민국 지도가 보입니다.' 그거.
나리　　그게 어떻게 보였어?
시원　　그만큼 어린이들의 사고가 많이 일어났고,
　　　　　그만큼 사람들이 어린이를 존중해주지 않은
　　　　　것 같다고. 그래서 나는 지금 화가 났어.

모두, 시원이 이은 선을 바라본다. 대한민국 지도다.
점의 무리들은 어린이 보행 교통사고에 대한
기록(2007-2020)[18]이다.
시원이 가장 마지막으로 잇는 점은 제주도.

나리, 지도 한가운데에 "구조에 다가가기"라고 쓰고 원을
그린다.

시원, "구조에 다가가기"에 선을 잇고, 원을 그리고,
단어를 쓴다.

두 사람, '세월호 참사'와 '어린이 보행 교통사고'의 닮은
점을 '불법', '혐오', '돈돈', '노동'의 줄기에 선과 원과
단어로 연결해나간다. 대한민국 지도 위로 포도 알처럼
늘어나는 참사의 구조들.

시원

과속

음주운전

민식이법

스쿨존을 뚫어라

나리

불법 증개축

선박 무게 239톤 증가

정원 840명 → 950명 증가

(승객 117명 증가, 선원 1명 감소)

민식이법은 무서워	화물량 657톤 → 2214톤
민식이 놀이	화물 고박 허술
초라니	평형수 감축 → 복원성 취약
종북	수밀문, 맨홀 개방 운항
빨갱이	불법 주정차
책임회피	불법 유턴
피해자 탓하기	불법 우회전
집값	무신호 횡단보도 일시정지 ×
4.16생명안전공원 반대	도로 위 흉기 화물차
한블리(한문철의 블랙박스	특수고용노동자
리뷰)	차 할부금, 유류비, 차량
최저임금	유지비
노동시간	화물차 과로 과속 과적
비정규직	안전운임제 폐지
재난안전통신망?	치킨게임
컨트롤타워?	초장시간 불규칙 노동
...	...

시원   (모두에게) 학교 근처 2차선 도로에
         횡단보도가 있어요. 많은 학생들이
         그 횡단보도를 이용하는데요. 엄마가

민식이 덕분에 신호등이 새로 생겼다고
좋아하더라고요.
'엄마, 거기는 원래부터 신호등이 있었는데?'
엄마가 아니래요. 거긴 신호등이 없었대요.
엄마는 결국 구글 지도로 과거 사진 보기를
했어요.
'엄마, 내 말이 맞지?' 엄마는 신호등이 너무
존재감이 없어서 몰랐대요. 지금은 아주
눈에 잘 띄는 샛노란 신호등이 되었습니다.
엄청 큰 어린이 보호구역 표지판도 생겼어요.
민식이 오빠는요. 어린이 보호구역의 무신호
횡단보도에서 동생 손을 잡고 건너다가 시속
30킬로미터 이하로 달리고 있던 SUV 차량에
부딪혀 사고가 났대요.
차 안에 있는 운전자에겐 거북이 같은
속도지만, 길 위의 어린이에게는 생명을
잃을 수 있는 속도라는 걸 사람들이 더
많이 기억했으면 좋겠어요. 그리고 어린이
보호구역 내 시속 30킬로미터라는 법은
2010년부터 있었대요.
잘 안 지켰을 뿐이지.

사이.

시원   집값 떨어지는 거랑 생명안전공원이랑 무슨
          상관이야?

나리   사람의 생명보다 돈이 더 중요하다는
          얘기겠지.

시원   왜지?

나리   어떤 게 왜야?

시원   사람의 생명은 값어치를 매길 수 없을 만큼
          비싸잖아. 근데 돈은 얼마든지 가질 수
          있잖아.

나리   아마 돈을 갖기 위해서는 힘들게 일을 해야
          되니까 그런 것 같아.

시원   미래의 일을 나쁘게 생각하는 사람들이니까?

나리   미래의 일?

시원   아직 집값이 떨어진 게 아니잖아.

나리   아마 돈이 없으면 불행하게 살 수밖에 없는
          사회 구조 때문인 것 같아.

시원   나는 가족만 있으면 되는데 돈 같은 거
          하나도 안 중요해.

사이.

나리 (모두에게) 어릴 적에 큰 공사장에서 이모부가
모는 레미콘을 본 적이 있어요. 중장비,
화물트럭을 운전하셨거든요. '스쿨존 너머'를
읽는데 화물차로 인한 어린이 교통사고가
계속 마음이 쓰였어요.
제가 아주 아주 작은 어린이일 때 이모랑
이모부 집에서 지냈거든요. 아주 아주
오랜만에 전화를 드려보았습니다. 운전만
하루 14시간, 800킬로미터 이상 하셨대요.
앞차가 빠지는 시간을 알 수 없으니까 미리
가서 5분 대기조처럼 기다리고. 어떨 땐 몇
시간 이상 기다리기도 하고. 물건 상차가
늦어지면 하차 시간도 늦어지니까 늘 쫓기는
마음으로 운전할 수밖에 없었대요.
40년 무사고 운전자 이모부도 매일
무서웠대요. 졸음운전이, 빗길이, 눈길이,
급정거가. 등 뒤에 집채만 한 25톤의 화물이
나를, 남을 덮칠까 봐. 하루 15시간 이상
차에서, 휴게소에서 쪽잠 자며 일하고 번

돈 1650만 원. 화물차 구입비만 3억. 매달
대출금, 주유비, 도로비, 차 수리비 빼고 남은
돈 300만 원······.

과로, 과적, 과속하지 않고 일할 수 있도록
최저임금을 보장하라는 화물기사들의
안전운임제 요구에 정부는 이렇게
답했습니다. '화물연대 파업은 북핵 위협과
마찬가지.'[19]

이모부요. 지금은 다른 일 하세요. 일하다가
심근경색으로 쓰러지셨거든요. 다행히
운전대를 잡기 전이었대요. 세월호에도
화물차가 많이 있었는데.

사이.

시원   이모는?

나리   응?

시원   가장 기억에 남는 거 없어?

나리   국가가 자기 책임을 회피한 거. 자기 잘못을
숨기려고 한 거. 생존자와 유가족을 나쁘게
몰아갔잖아. 그래서 굉장히 실망하고

슬펐지. 국가가 안전을 보호해주지 않으면
우리는 어떻게 해야 하지. 누굴 믿어야 하지.
그래서…….

시원　(바닥에 쓴 것을 가리키며) 종북.

나리　맞아.

시원, 《4.16세월호참사 종합보고서 분석 TF 자료집》을
들어 모두에게 보여준다.

시원　(모두에게) 근데 이거 진짜 여기에 다 나와요.
4.16재단, 4.16연대 홈페이지에 가면 누구나
다운받으실 수 있어요.

시원과 주희, 도연이 전화로 나눈 대화가 들려온다.☎

음향.

— 댓글

☎ 시원이 연극을 준비하는 과정에서 어린이 보행 교통사고와 민식이법
관련 기사·영상들에 달린 댓글을 보다가 주희와 도연에게 전화를
걸어 나누었던 대화 기록.

시원   내가 오늘 민식이 오빠에 대한 댓글을 봤는데
다 막 욕하고, 민식이법 폐지하라고 엄청 써
있었어. 언니들도 그런 댓글이 있었어?

주희   그런 게 많았지.

도연   민식이법에는 '민식이라는 한 명의 피해자
이야기인데, 왜 이걸 법적인 규정까지 가느냐,
선을 넘는다.' 이런 식의 반응이 많았잖아.
세월호도 마찬가지로 '단순 사고일 뿐인데
왜 그렇게 과하게 기억을 요구하냐, 무엇을
밝히려고 하느냐.' 하는 식의 반응들이 많았어.
언니들이 느꼈을 때는 참사를 겪고 그
이후에 처리되는 모든 과정들에 대해 의문이
많았는데, 민식이법처럼 '그만해라.' '왜 해야
되는지 모르겠다.' '과하다.' 이런 반응들이
대체적으로 많았던 것 같아.
시원이도 장애인 인권 시위나 투쟁 현장에 갈
때 늘 함께하고 싶은 마음으로 가잖아. 함께
행동하는 사람들은 실체가 있는데 이렇게
인터넷에서 욕을 다는 사람들은 실체가 없는
듯한 느낌이었어. 시원이는 어떤 댓글이 더
기억에 남아?

시원   좋은 댓글.

도연   그래?

시원   응.

주희   아주 긍정적이네.

사이.

시원, 분홍색 마커펜으로 대한민국 지도 밖에 어린이
보행 교통사고로 사망한 이들의 이름을 적는다.[20]

2015년생 조은결

2013년생 배승아

2013년생 이동원

2013년생 최하준

2012년생 김태호, 정유찬

2011년생 이해인

2011년생 김민식

...

시원, 책《울고 있는 아이에게 말을 걸면》을 보다가 문득
소리 내어 한 대목을 읽는다.

시원　사고 이후 자기 집과 가게 앞에 생긴
횡단보도, 어린이 보호구역 표지판, 인도
펜스 등을 가리키며 말했다. "저것들 때문에
다니기가 아~주 불편해졌어." "여기 원래 잠깐
차도 대고 유턴도 하고 그랬던 데야. 그래야
손님들이 자유롭게 다니고 우리도 장사를 할
수 있지. 왜 남의 장사를 방해해?"
사망 사고가 발생한 지점 주변의 어른들은 더
화가 나 있었다. "바닥 시뻘겋게 칠해놓고 ……
아주 보기 싫고 재수 없어 죽겠어."
"아니, 애 하나 죽었다고 이렇게 어른들을
불편하게 해?" 어떤 어른은 보행로가 따로
없던 초등학교 앞에 임시로 설치해놓은
플라스틱 시선 유도봉 6개의 목을 날카로운
도구로 모두 잘라냈다. 어느 주민협의회는
'관내 어린이집 앞 도로가 어린이
보호구역으로 지정될 수 있다'는 소식을 듣고
동네에서 어린이집들을 모두 몰아내자고
논의하기도 했다.
다행히도 모두가 그렇지 않았다. 소수였지만,
어린이에게 미안해하는 어른도 있었다.[21]

시원, 책을 들고 책상으로 가서 앉는다.

노트북을 펼치고 독수리 타법으로 타자를 치기 시작한다.

책의 저자에게 이메일을 보내기 위해서다.

시원   안녕하세요, 저는 연극 〈2014년 생〉에서
      어린이 배우를 맡은 백송시원이라고 합니다.
      기자님[22] 기사[23]랑 책을 읽고 궁금한 점이
      생겼어요.

      • 기자님께서는 어린이에 대해 어떻게
        생각하시나요?

      • 책《울고 있는 아이에게 말을 걸면》
        196쪽에 나온 '미안해하는 어른들'은 몇
        명이었나요?

      • 기자님은 운전하실 때 어린이 보호구역에
        대한 불편함은 없으신가요? 불편할 때는
        어떻게 하시나요?

      • 기자님은 장애인에 관해서는 어떻게
        생각하시나요?

      • 어린이의 인권은 존중받아야 한다고
        생각하시나요?

      • 그리고…… 기자님, 혹시 시간이 되신다면

저희 공연 보러 와주실 수 있나용? 포스터가
나오면 보내드릴게용~!

시원, 턱을 괴고 노트북을 바라보며 답장이 오기를
기다린다.
나리, 책상 앞에 앉아 있는 시원을 바라본다.

나리　　　(모두에게) 4월 16일에는 기억교실[24]에 갔어요.
　　　　　익숙하게 교실 안으로 들어서는 시원이는 꼭
　　　　　친구를 만나기로 한 것처럼 반가워 보였어요.
　　　　　주희가 앉았던 의자에 앉아 책상과 칠판에
　　　　　적힌 낙서를 읽고 교실 풍경을 물끄러미
　　　　　바라보다가 어느 책상의 꽃이, 사진이, 선물이
　　　　　바뀌었는지도 이야기해줬어요. 시원이는
　　　　　이렇게나 언니 오빠들과 친해졌구나.
　　　　　시원이는 내가 하지 못하는 걸 하고 있었구나.
　　　　　올해는 저도 익숙한 이름을 찾아가서 얼굴을
　　　　　들여다보았습니다. "나 이제 '몽환의 숲'
　　　　　노래만 들으면 네가 생각나. 나도 참 좋아했던
　　　　　노래였거든. 혹시 너도 디제이 소울스케이프
　　　　　좋아하니?" "너는 루피를 좋아했구나. 나도

원피스 짱 좋아했는데. 나는 쵸파 좋아했어."

"너는 엄마를 참 닮았구나."

작년에는 그 자리에 잠시 멈추거나

그냥 지나갔어요. 그 조심스러움들은

무엇이었을까요. 이제는 그리워하는

사람들의 편지를 읽고, 마음이 동요되고, 말을

걸 수 있게 되었어요. 네. 그렇게 저도 아는

사람이 되어버렸습니다.

나리, 자리에서 일어나 바닥에 자신들이 쓴 것("구조에

다가가기")을 본다.

둘러앉은 이들도 함께 본다.

사이.

시원, 모두를 향해 박수 친다.

시원   축하합니다!

나리   뭐가요?

시원   다가가기 미션 성공!

나리   벌써요?

시원   (격려하며) 어린이들의 일상에 이만큼 다가간

뿍극대원님들 칭찬해!

나리   (고맙고 미안해하며) 뿍극대장님…….

4

개발하기에서 연결하기로

시원   (원 안으로 들어오며) 이제 한 단계만 더 거치면
여러분은 강력한 뿍극대원이 될 수 있어요.
'뿍극대원 되기 3. 개바라기!'

시원은 6시 방향 의자에, 나리는 12시 방향 의자에
앉는다.

시원   저는 임보(임시보호)하는 강아지 '먼지'랑 함께
살고 있거든요. 집 주변에 동물 출입 카페가
세 곳이나 있어요. 새로운 카페에 가보고
싶어서 동물 출입이 가능한 곳을 검색했어요.
좀 멀긴 했는데 산책도 하고 기분 전환도
할 겸 걸어갔어요. 너무 더워서 땀을 뻘뻘

흘리며 갔는데요. 카페 앞에 '노키즈존'이라고
쓰여 있는 거예요. 띠로리~. 먼지는 되는데
나는 안 된다고? 먼지야, 미안해. 너도 이런
기분이었구나.

나리   동물 출입은 되고 어린이 출입은 안 되는
이유는 뭘까. 카페에 전화를 걸었어요. 계속
전화하고 며칠을 전화했는데 전화 코드를
뽑아놨나? 카페 블로그에 들어갔더니
어린이는 왜 출입이 안 되는지 쓰여
있더라고요. 마당에 돌이 있어 위험하다고.
2층 올라가는 계단이 너무 높아 위험하다고.
저희는 어린이를 사랑합니다라고. 또······.
화가 나네.

시원   노들장애인야학에 갔을 때 교장쌤 명학이
형이 그랬어요. 장애인의 장애는 바꿀
수 없지만 사회 제도는 바꿀 수 있다.
저는 이렇게 말하고 싶어요. 어린이의
어린이다움은 바꿀 수 없지만 사회 제도는
바꿀 수 있다.

두 사람, 대한민국을 점거하듯 지도 위에 대자로 누워

결사의 의지로 외친다.

시원   개!

나리   바!

시원   라!

나리   기!

나리   우리가 해결하려는 문제는 무엇인가?

시원   더 이상 사고로 사망자가 나오지 않았으면
        좋겠다!

나리   우리의 목표는 무엇인가?

시원   세월호, 어린이 교통사고 등 재난 참사로
        돌아가신 분들을 추모하고 기억하는 것! 노란
        리본 캠페인!

나리   문제의 해결책은 무엇인가?

시원   많은 사람들이 우리 공연을 보고 뿍극대원이
        되는 것! 뿍극뿍극!

나리   현실적인 상황과 한계점은 무엇인가?

시원   우리가 사망사고를 막을 수 없다는 것…….

시원, 일어나 앉는다.

나리	대장님, 왜 그러세요?
시원	재난안전통신망이 작동이 안 되잖아요.[25]
나리	왜 그런 거래요?
시원	생명안전기본법[26]이 없어서요.
나리	그게 무슨 말이에요?
시원	재난 피해의 가해자는 누구일까요?
나리	정답! 담당 공무원!! 담당 부처!! 국가!!
시원	땡! 가해자는 없습니다. 현행법에 '재난 피해자'라는 개념이 없어서 처벌 받을 '가해자'도 없대요. 생명안전기본법이 제정되기 전까지는요.
나리	그래서 재난안전통신망 작동이 안 되는 거예요? 책임자 처벌을 못 하니까, 안전한 사회도 될 수 없는 거예요?
시원	'개바라기'만으로는 안 되겠어요.

시원, 바닥의 원 한가운데에 분홍색 마커펜으로
"개발하기"라고 적는다.

| 나리 | 개발하기? |
| 시원 | 먼사에 전화해야겠어요. |

나리	뭔…… 사요?
시원	나사NASA 말고 먼사요.
나리	아……. 먼사…….
시원	UFO가 필요해요.
나리	갑자기 UFO는 왜요?
시원	미래로 가려고요.
나리	미래요?
시원	막을 수 없다면 뛰어넘어라! 한계점을 넘으려면 차원의 문을 통과해야겠어요.
나리	지금요?
시원	기후위기 시계가 겨우 5년 300일도 안 남았어요.
나리	생명안전기본법은 국회 문턱도 못 넘었는데 기후위기가 턱밑까지 찾아왔다니.
시원	일단 생존가방부터 싸주세요.
나리	네!!
시원	(엄지손가락과 새끼손가락을 펴 손전화를 걸며) 거기 먼사죠? 네. UFO 개발하기 때문에

☺ 시원의 상상 속 항공우주국. 임보 중인 강아지 이름 먼지의 '먼'과 나사의 '사'를 따서 '먼사'라 이름 붙였다.

전화드렸어요. 네. 미확인 비행물체요. 아,
확인이 안 된다고요. 그럼 어떻게 차원의 문을
넘죠? 연극이니까 상상으로 해보라고요? 네.
알겠습니다.

나리   (조용한 목소리로 관객에게) 생존가방 쌀 줄
아시는 분? 생존가방…….

시원   노란 뿍극님 생존가방 쌀 줄 모르세요?

나리   (머리를 잡고 고통스러운 듯) 안전 불감증이
점점 심해지고 있어요.

시원, 안전 불감증으로 어지러운 듯 휘청거리는 나리를
부축해 6시 방향의 의자에 앉힌다.

시원   어서 미래로 떠나야겠어요.

나리   UFO는 개발됐나요?

시원   지금 타고 계시잖아요.

나리   벌써요?

시원   (바닥을 가리키며) 먼지호!

나리   먼지호?

원 한가운데에 UFO '먼지호'가 그려져 있다.

'먼지호'는 시원이 임보 중인 유기견 '먼지'를 닮았다.

시원   먼지호! 먼지호는 오직 뿍극님들의 힘으로
         여행을 떠납니다. 뿍극님들의 소지품을 의자
         아래에 놓아주세요. 그럼 먼지호의 엔진이
         되어서 미래로 날아갈 거예요. 어서요. 노란
         뿍극님의 안전 불감증이 더욱 심해지고 있어요.

모두, (어색해하며) 소지품을 의자 아래에 놓는다.

시원   뿍극님들의 배지를 두 번 누르면 투명
         안전벨트가 나올 거예요. 따라 하세요. (배지를
         두 번 누르고 차에서 안전벨트 매는 동작을
         취하며) 클릭 클릭 철컥!
모두   (상당히 어색해하며) 클릭 클릭 철컥!
시원   노란 리본은 발 앞에 놓아주세요. 지금은
         그냥 줄이지만 이 노란 리본이 차원의 문이 될
         거예요.

모두, 노란 리본을 맨 줄을 발 앞에 내려놓는다.
노란 리본이 달린 거대한 원이 생긴다.

시원	차원의 문을 지나가기 위해서는 주문이 필요해요. 먼지 먼지 뿍극 슈퍼 파워! 연습해볼까요?
모두	(이제 어쩔 수 없다는 듯) 먼지 먼지 뿍극 슈퍼 파워!
시원	차원의 문을 지날 땐, 특히 머리카락을 조심하세요. 너무 빨라서 대머리가 될 수 있어요. 그럼 이제 다 같이 주문을 외우고 떠나볼까요? 먼지 먼지 뿍극 슈퍼 파워!
모두	(머리카락이 벗겨지지 않기 위해 두 손으로 머리를 꼭 붙들며) 먼지 먼지 뿍극 슈퍼 파워!

과거 시간의 소리들이 엉킨다.

비 내리는 소리.

무너지는 소리.

갈라지는 소리.

떨어지는 소리.

타오르는 소리.

헬리콥터 소리.

요란한, 그러나 때늦은 재난알림문자 소리.

천지가 개벽한다.

긴 사이.

UFO '먼지호'가 착륙하는 소리 들린다.

시원   뿍극대원 여러분, 도착했어요. 우리가 드디어
        안전한 사회에 도착한 거예요. 너무 신기하지
        않나요? 먼저, 투명 안전벨트는 배지를 두 번
        누르면 풀려요. 클릭 클릭 슝!

모두   클릭 클릭 슝!

시원   의자 밑에 있는 생존가방을 무릎 위에
        올려놓으면 자동으로 슝 하고 밖을 나가게
        될 거예요. 자, 준비되셨나요? 이제 하나 둘
        셋 하면 생존가방을 무릎 위에 놓는 거예요!
        하나, 둘, 셋!

일순 빛이 사라진다.
암흑 속에서,

나리   여기는 어디에요?

시원   미래의 대한민국이에요.

나리   아무것도 안 보여요.

시원   네? 아무것도 안 보여요? 난 보이는데?

뿍극님들, 보이세요? 안 보이세요? 이상하다.

나는 잘 보이는데. 어? 잠깐만요. 왜 어른이 한

명도 안 보이지? (눈을 비비고 다시 보며) 정말

어른이 한 명도 없어요. 뿍극님들이 유일한

어른인가 봐요. (놀라며) 여러분, 조심하세요.

어린이 경찰이 뿍극님들 쪽으로 다가오고

있어요! 여러분, 어서 UFO 안으로 다시

돌아가요!

나리   (놀라 비명 지르며) 리본 뿍극님, 살려주세요!

절 어딘가로 끌고 가요!

시원   노란 뿍극님!!!

사이.

빛이 들어온다.

나리가 없다.

시원   여러분, 저는 다 봤어요. 어린이 경찰이 노란

뿍극님을 끌고 가는 걸 생생하게 봤다구요.

(재연하며) '노란 뿍극씨, 당신을 체포합니다.

이곳은 어른이 없는 세계입니다. 어린이에게
보이지 않게 절 따라오시죠.' '리본 뿍극님,
살려주세요! 저를 어딘가로 끌고 가요!'
(다시 관객에게) 놀라지 말고 들으세요.
이곳의 감옥은 어린이가 만들었기 때문에
평생 어깨춤을 취야 한대요. 그리고
이곳에서는 어린이가 선생님이라 모두가
어린이다움을 교육받는대요. 너무 재밌을
거 같지 않나요? 노란 뿍극님이라면 분명
어깨춤을 잘 출 수 있을 거예요. 안심이
돼요. 혹시 이곳에 남고 싶은 분 계신가요?
제가 모셔다 드릴게요. 어깨춤 추고 싶은 분,
아무도 없으세요?

멀리서 폭발음이 들려온다.

시원   무슨 소리지? (창밖을 내다보고) 지구가
폭발하고 있어요. 어서 떠나요. 모두 안전벨트
하세요. 클릭 클릭……. 아, 잠깐만. 노란
뿍극님. 어쩌지. 구하러 가야 하나. 아니,
연극을 계속해야 하는데. 아, 몰라 구하러

가? 아니, 안 돼. 연극을 계속 해야 해. 하지만
지구가 폭발하고 있잖아.

나리   (멀리서, 울며불며) 리본 뿍극니이임! 어디
계세요오오?!

시원   뿍극님들, 노란 뿍극님을 구하러 가야겠죠?

모두   네.

시원   지구가 폭발하고 있는데도요?

모두   네.

시원   그럼 제가 다녀올게요.

이곳은 어른에게는 아무것도 보이지 않는 미래의
대한민국이다.☻

A. 아동 청소년 관객이 없을 때

시원   (모두에게) UFO 밖은 위험하니까 절대 나가지
마세요.

☻ 시원은 아동 청소년 관객의 유무에 따라 아래에 제시된 A 혹은 B의
대사를 한다.

시원, 혼자 UFO 밖을 나선다.

B. 아동 청소년 관객이 있을 때

시원   어린이 뿍극님, 저와 노란 뿍극님 구하러 함께
            가실래요?

시원, 어린이 뿍극대원과 함께 UFO 밖을 나선다.

*

여기저기서 지구가 폭발하는 소리.

시원   노란 뿍극님, 어디 계세요.

나리   리본 뿍극님, 싱크홀 안이에요.

시원   싱크홀이요?

나리   아스팔트가 다 녹아내리면서 땅에 커다란
            구멍이 생겼어요.

시원   (모두에게) 줄! 줄이 필요해요. 노란 리본이
            달린 줄이요.

모두, 노란 리본을 맨 줄 끝을 시원에게 전해준다.

시원, 나리의 목소리가 나는 쪽으로 가서 줄 끝을
던져준다.

나리   잡았어요.

시원   (모두에게) 여러분, 하나 둘 셋 하면 다 같이
            줄을 당기는 거예요. 자, 하나 둘 셋!

모두, 노란 리본을 맨 줄을 함께 당기기 시작한다.

시원   한 번 더! 하나 둘 셋!

모두, 다시 한번 노란 리본을 맨 줄을 함께 당긴다.
지구가 폭발하는 소리 점점 더 가까워진다.

나리   조금만 더요!

시원   자, 다시! 하나 둘 셋!

모두, 노란 리본을 맨 줄을 함께 힘껏 당긴다.
나리, 겨우 빠져나온다.

나리   뿍극대원님들, 고맙습니다.

지구가 폭발하는 소리 더욱 가까워진다.

나리   어서 차원의 문을 다시 만들어야 해요.

모두, 노란 리본을 맨 줄을 발 앞에 놓으며 원을 만든다.

시원   모두 안전벨트를 하세요! (배지를 누르며) 클릭
              클릭 철컥!

모두   클릭 클릭 철컥!

시원   새로운 행성으로 출발합니다.

모두   먼지 먼지 뿍극 슈퍼 파워!

과거 시간의 소리들이 엉킨다.

비 내리는 소리.

무너지는 소리.

갈라지는 소리.

떨어지는 소리.

타오르는 소리.

헬리콥터 소리.

요란한 그러나 때늦은 재난알림문자 소리.

천지가 개벽한다.

긴 사이.

UFO '먼지호'가 착지하는 소리 들린다.

시원   (창밖을 내다보고) 여러분, 새로운 행성에
              도착했어요. 일단 안전벨트를 풀고 쉬세요.
              클릭 클릭 슝!

모두   클릭 클릭 슝!

나리   뾱극대원님들, 구해주셔서 정말 고맙습니다.

시원   다른 사람들은 어떻게 되었나요.

나리   어린이들은 모두 상상의 UFO를 개발해서
              떠났지만 어른들은…….

시원   어른들은?

나리   진짜 UFO를 개발하려고 했어요.

시원   지구가 폭발하고 있는데도요?

나리   상상할 준비가 안 되어 있었어요.

시원   혹시 지구가 폭발한 건…….

나리   어린이들이 기후위기로 뜨거워진 지구를
              식히려고 노력했지만…….

시원   그럼 빙하도 다…….

나리   네. 북극곰은 더 이상 북극에 살지 않는다고

했어요.

시원   그럼요?

나리   냉동집에서 산다고요.

시원   북극곰도 UFO를 탔을까요?

나리   북극곰을 돌보는 어린이들이 옆집에 산다고
들었어요. 분명히 함께 탈출했을 거예요.

시원, 원 안으로 들어와 바닥에 쓰여 있는 과거의
단어들을 지우기 시작한다.
대한민국 지도 밖 어린이의 이름과 UFO '먼지호'는
그대로 남겨둔다.

시원   새로운 행성에서는 새로운 법(규칙)이
필요해요. 우리 다 같이 만들어 봐요.

나리   새로운 법이요?

시원   대신 조건이 있어요.

나리   뭔데요?

시원   과거 회상 금지!

나리   왜요?

시원   과거보다 나은 세상이 아니라 상상해본 적
없는 세상이 훨씬 좋지 않을까요?

나리	상상이 안 가요.
시원	그럼 제일 먼저! 과거 회상 금지법!
나리	아⋯⋯. 자꾸 과거가 떠올라요.
시원	뿍극님들은요?

모두, 새로운 행성의 새로운 법을 상상해본다.
시원과 나리, 연두색과 초록색 마커펜을 들고 모두의
상상을 담은 새로운 법을 바닥에 쓰기 시작한다.

- 모든 곳을 어린이 보호구역으로!
- 고양이만 대통령이 될 수 있는, 고양이 대통령 법!
- 1초에 1억이 생기는, 1초 1억 법!
- 과자를 마음껏 먹을 수 있는, 과자 먹기 법!
- 하루 종일 자는 시간 보장 법!
- 어린이를 국회로, 국회 어린이 의석 할당 의무 법!
- 마음껏 장난감 가지고 놀 수 있는, 장난감 법!

시원	그리고 제일 중요한 거! 차별하지 않아야
	혐오하지 않아요 법!
나리	저, 생각났어요!
시원	뭔데요?

나리	우리 집 멍멍이 봄이 실외 배변하러 갈 시간이에요.
시원	큰일 났다!
나리	왜요?
시원	먼지, 밥 줄 사람이 없어요.
나리	어쩌죠.
시원	돌아가야죠.
나리	과거는 너무 위험해요.
시원	안 그럼 먼지랑 봄이가 위험해져요.
나리	뿍극님들, 저희 다시 과거로 돌아가도 될까요?

관객들은 돌아가자고 하기도 돌아가지 말자고 하기도 한다.

시원과 나리는 모두를 설득해 다시 과거로 돌아가기로 한다.

시원	고맙습니다. 나중에 사랑하는 존재들 다 데리고 와요. 모두 안전벨트 매세요. 클릭 클릭 철컥!
모두	클릭 클릭 철컥!

시원　　　먼지호 다시 과거로 출발합니다. 먼지 먼지
　　　　　　뿍극 슈퍼 파워!

모두　　　먼지 먼지 뿍극 슈퍼 파워!

UFO '먼지호'의 엔진이 가동된다.

미래로부터 과거로 향하는 소리는 빛을 닮았다.

시원과 도연의 대화 들려온다.

음향.

— 도보 행진

도연　　　언니들이 그때 세월호 참사를 겪고 안산
　　　　　　단원 고등학교에서 서울에 있는 국회까지
　　　　　　1박 2일 동안 걸어갔어.[27] 알고 보니까 이게
　　　　　　실시간으로 생중계가 되고 있었던 거야. 지금
　　　　　　어느 지역을 지나가고 있는지 보다가 '우리
　　　　　　집 앞을 지나가네.' 하면, 시민분들이 집에서
　　　　　　물이랑 과자랑 빵이랑 막 싸들고 나와서
　　　　　　음식도 나눠 주고, 또 유치원 앞에 지나갈
　　　　　　때는 유치원생들이랑 선생님들이 같이 나와서
　　　　　　손도 흔들어주고, 이렇게 응원을 진짜 많이

해줬어. 그러다가 어떤 언덕을 넘어갔는데,

언덕은 작은 산처럼 동그랗게 솟아 있잖아.

거의 다 내려와서 뒤를 봤는데 언덕 저 끝까지

사람들이 가득 차 있는 거야.

몇백 명이 되도록 저 끝까지 사람들이 계속

있는 거야.

시원 응.

도연 1박 2일 동안 언니 오빠들이 걷는다는 걸 알고

시민분들이 같이 나와서 걸어주신 거지.

시원 응.

도연 그래서 언니 오빠들 뒤로 함께 걷는 사람들이

무지막지하게 많아지고, 또 지나갈 때마다

사람들이 달려 나와서 혹시라도 도움이 될까

봐, 초콜릿도 주고 힘내라고 응원을 해준

거야. 다른 언니 오빠들도 그때 기억이 가장

강렬했다고 하더라고. 그전까지는 나쁜

댓글들을 보고 엄청 움츠러들었다가, 막상

밖을 나와보니 '이렇게 응원해주는 사람들이

많구나.' 하고 힘을 얻을 수 있었어.

시원 퀴어퍼레이드 때도 그랬는데.

도연 그래?

시원   딱 뒤를 돌았는데 사람들이 쭈르르르르르

있어서.

도연   그치?

사이.

시원과 나리, 차원의 문이었던 노란 리본을 맨 줄로

하나의 커다란 노란 리본을 만든다.

시원   '뿍극대원 되기 3. 연결하기.'

나리, 앞서 시원이 "개발하기"라고 쓴 글씨를 지우고 그

자리에 다시 "연결하기"라고 쓴다.

이제 대한민국 지도는 모두가 함께 매듭지은 노란 리본과

새로운 법으로 빛난다.

UFO '먼지호'가 현재의 대한민국에 착륙한다.

시원   (안전벨트를 풀며) 클릭 클릭 슝!

모두   (따라 하며) 클릭 클릭 슝!

5
노란 리본

이메일 도착하는 소리.

시원   변진경 기자님한테 이메일이 왔나 봐요. 메일
             보낸 지 하루도 안 지났는데!!!
나리   대장님이 기다릴까 봐 빨리 보내셨나 봐요.

시원과 나리, 책상으로 가서 노트북을 펼쳐본다.

시원   (메일을 읽으며) 백송시원 어린이, 너무
             반갑습니다! 스스로 이런 질문들을 던지고
             연극을 준비하는 모습이 너무 멋지네요.
             (모두에게) 기자님이 취재하면서 만난
             '어린이에게 미안해하는 어른들'은 15명

정도였대요. 그리고 기자님은 어린이
보호구역을 지날 일이 있으면 걸어가거나
대중교통을 이용하신대요. 아이들을 다치게
만드는 게 너무너무 싫기 때문이래요. 주희
언니도 그랬는데. 똑같아요.

나리 왜 기자님께 메일을 보내고 싶었어요?

시원 기자님은 평소에 어린이에 대해 어떻게
생각하길래 이런 책을 썼을까 궁금했어요.
(모두에게) 제가 여러분에게 제일 읽어드리고
싶은 답변이 있는데요. 그건 바로바로 바로!
'연극 꼭 보러갈게요!'

나리 우와! 기자님, 저도 사실 팬이에요! 빨리
오셔서 사인해주세요!

시원과 나리, 원 밖의 12시 방향에 나란히 선다.

시원 저는 지금 3학년이지만 좀 빨리 커서
4학년 평균 키와 비슷합니다. 제 키는 몇
센티미터일까요?

모두, 시원의 키를 맞혀보려 한다.

시원, 모두가 정답을 맞힐 수 있도록 손가락으로 위와
아래를 가리키며 힌트를 준다.

시원   정답! 제 키는 141센티미터입니다.

나리   (모두를 둘러보며) 뿍극님들의 앉은키와
비슷하네요.

시원, 천천히 원 둘레를 걸으며 말을 이어나간다.

시원   초등학교 저학년의 평균 키는
120-130센티미터예요. 변진경 기자님 책을
보니까 교통사고가 난 어린이는 여덟 살, 아홉
살, 열 살이 많았어요.

나리   국내 경차의 평균 높이는 약 148센티미터.
자동차 너머의 어린이는 보이지 않습니다.

시원은 앉아 있는 관객들에게 가려져 잘 보이지 않는다.
관객과 관객 사이로 잠시 모습을 보였다가 다시
사라지기를 반복한다.
보이는 순간이 오히려 갑작스럽다.

시원   어린이는 튀어나오는 존재인가요?

나리   어린이는 뛰어다니며 노는 존재입니다.

시원   그런 어린이라도 아무 곳에서나 이유 없이 뛰지 않아요. 차가 자주 다니는 곳에서는 위험하니까요. 안전하다고 느껴지는 학교 앞이나 놀이터 근처, 좁은 골목에서 뛰어다녀요. 무신호 횡단보도에서도요. 좌우를 살피고, 와다다다다!

나리   그런 곳에는 늘 불법 주차된 차들이 있어요.

시원   무대를 바꾸니까 제가 잘 보이셨나요?

나리   그래도 다 잘 보이지는 않았을 거예요.

시원   뿍극님들의 앉은키와 제 키가 비슷하니까요.

나리   보려고 애써 노력하지 않으면 보이지 않을 때가 더 많습니다.

시원   운전 중에는 더 안 보일 거예요.

나리   불법 주정차뿐만 아니라 가로수, 입간판, 교통안전 펜스에 가려져 안 보이기도 합니다.

시원   저를 애써 보아주셔서 고맙습니다.

시원, 모두에게 허리를 숙여 인사한다.

시원 저는 이 노란 리본이 어린이 청소년의 권리를 존중하는 행동이 되면 좋겠어요. 어린이 청소년을 시민으로 존중해주는 거요. 그럼 오래오래 세월호에서 돌아오지 못한 언니, 오빠, 어른들을 기억할 수 있지 않을까요?

나리 그럼 대장님은 걸어 다니는 노란 리본이네요.

나리, 시원에게 노란 리본을 매준다.

멀리서 지하철 들어오는 소리.

시원과 나리, 승강장(원 밖)에 선다.

이내 열차 문 열리는 소리 들린다.

"안전문이 열립니다. 발 빠짐 주의! 발 빠짐 주의!"

시원, 승강장과 열차 사이를 폴짝 뛰어넘어 원 안으로 들어온다.

시원과 나리, 원의 한가운데에 선다.

나리는 열차 안의 손잡이를 잡고, 시원은 손잡이를 잡고 있는 나리를 잡는다.

이제 원 안은 지하철 열차 안이다.

지하철 출발하는 소리.

시원 이모, 그거 알아? 얼마 전에 네 살 어린이가

열차랑 승강장 사이가 넓어서 빠졌대.[28]

나리   많이 안 다쳤대?

시원   응. 그래서 서울시랑 서울교통공사가

자동안전발판을 더 많이 설치하겠다고 했대.

나리   너무 잘됐다.

시원   근데 그거 알아? 2019년에 휠체어를

이용하는 장애인이 열차와 승강장 간격도

넓고 높이도 달라서 위험하다고 소송을

했는데 장애인이 졌대.[29]

나리   왜?

시원   장애인차별법상 차별 행위인 건 맞지만

정당한 사유가 있을 때는 차별 행위로 보지

않는다고 했대.

나리   정당한 사유?

시원   과도한 부담이나 현저히 곤란한 사정 등이래.

나리   그때라도 안전발판이 생겼으면 어린이가

빠지는 사고도 없었을 텐데.

시원   안전한 지하철 만들자고 장애인들이 몇 년

동안 투쟁했는지 알아?

나리   몰라.

시원   22년.[30]

나리	22년 만이네.
시원	무서웠거든. 나도.
나리	뭐가?
시원	승강장 사이가 넓어서.
나리	응.
시원	승강장 사이에 빠진 어린이가
	장애인이었다면 어땠을까?
나리	응?
시원	안전발판이 생겼을까? 어린이가 장애인이기
	때문에 빠진 거라고 했을까?
나리	그러게.
시원	근데 그거 알아? 최근 5년간 승강장 발 빠짐
	사고가 총 309건이 일어났는데, 그중 64%가
	20대, 30대, 40대에서 발생했대.
나리	시원아.
시원	응?
나리	어떻게 하면 세상 사람들이 다 알 수 있을까?
시원	뿍극대원이 되면?

열차의 안내방송 소리가 들려온다.

"이 역은 승강장과 열차 사이의 간격이 넓으므로, 타고 내리실 때 발이 빠지지 않도록 조심하시기 바랍니다."

시원과 나리, 내리기 위해 열차 문 앞에 선다.

이내 열차 문 열리는 소리.

시원, 열차와 승강장 사이를 폴짝 뛰어넘는다.

두 사람, 승강장(원 밖)에 서서 모두를 바라본다.

시원   유엔아동권리협약 제13조 표현의 자유.

우리는 말이나 글, 문화 예술을 통해 우리의

생각을 표현할 권리가 있으며 국경을 넘어

모든 정보와 생각을 서로 주고받을 수

있는 권리도 있습니다. 참, 집 앞 사거리

횡단보도에 이틀에 한 번은 꼭 교통경찰이

나와서 단속하고 계세요. (멀리 인사하며)

고맙습니다, 경감님!

시원과 나리, 손을 꼭 잡고 밖으로 향한다.

지하철 지나가는 소리.

에필로그

이제 무대 위 조명은 원 안의 노란 리본만을 비춘다.
시원과 주희가 목포신항에서 세월호를 보며 나눈 대화
들려온다.

음향.
— 세월호의 장소들: 목포신항에서[31]

주희   이제 시원이가 언니 얘기를 연극으로 해줄
        거잖아. 그럼 사람들한테 무슨 얘기 해주고
        싶어?

시원   음……. 세월호에 의해서 사람들이 빠졌다는
        사실을 알려주고 싶어.

주희   그래서?

시원   그래서 저거, 촛불 밝히는 거 있잖아.

주희   촛불시위?

시원   그거, 같이하자고 하고 싶어.

주희   연극 보는 사람들이 촛불시위를 다 같이
        했으면 좋겠어?

시원   응. 내가 그 사람들을 불러 모아서, 촛불시위를
        해서 꼭 반대를 하지 않게 할 거야.

주희   진짜?

시원   응.

주희   너무 고맙다.

시원   그래서 사람들이 점점 더 많아지면서 천 명이
        넘을 거야. 지구에 있는 모든 사람들이 올
        거야.

주희   진짜? 시원이 덕분에 다시 세상이 전부
        노란색으로 변했으면 좋겠다.

시원   그럼 지구가 노란색으로 변하지 않을까?

주희   그럼 언니는 너무 좋을 것 같은데?

시원   언니는 세상이 다 노란색으로 변하면 어떨 것
        같아?

주희   그럼 모든 사람들이 언니한테 있었던 일이랑,
        언니 친구들이랑, 선생님들이랑 다 기억해주는

거니까, 너무 든든하고 고맙지 않을까.

시원   그럼, 내가 모든 사람들을 모아서

            촛불시위를…….

주희   촛불시위를 열 거야?

시원   응.

주희   그럼 촛불시위를 열어서 뭐라고 해줄 거야?

시원   저거☻ 계속, 저거 계속 반대하잖아. 그래서

            반대하지 말라고 해서…….

주희   응.

시원   반대하지 말라고 해서, 국가가, 대통령이

            알겠다고 하면 파티를 열 거야.

주희   대통령이 알겠다고 하면 시원이가 파티를

            열어줄 거야?

시원   어. 노란 리본 파티.

주희   노란 리본 파티를 열어줄 거야? 너무 좋겠는데,

            언니도 꼭 초대해줘야 해!

시원   거기다가 그 노란 리본을 아직 모르는 아주

☻ 4.16생명안전공원. 시원은 매년 안산 세월호 참사 기억식에서
추모와 애도를 방해하고, 4.16생명안전공원 조성을 반대하는 이들을
목격했다.

어린 친구들에게 노란 리본이 무엇인지, 여기
세월호랑, 저기 팽목항이랑 가서 알려줄 거야.

주희   언니가 시원이한테 설명해준 것처럼
사람들한테 설명해줄 거야?

시원   어. 설명해줄 거야.

멀리서 파도 소리 밀려온다.
파도 소리가 극장을 가득 채운다.
노란 리본이 빛난다.

막

첫 번째 공연

2022년 4월 28일 - 5월 7일

신촌극장

두 번째 공연

2023년 10월 6일 - 14일

전태일기념관

세 번째 공연

2024년 4월 13일 - 14일

안산문화예술의전당 별무리 극장

함께 만든 사람들

출연 백송시원, 이나리

작·연출 송김경화

협력 김도연, 김주희

조명 디자인 문동민

음악 감독 루브

사진/영상 감독 이영대

그래픽 디자인 제람

프로듀서 유병진

조명 김봉균, 김영서, 원종욱, 이민주, 조은실, 한종엽

무대 크루 마광현, 주은길

오퍼레이터 박현지, 전민호

기획·제작 낭만유랑단

2014년의 생존자가 2014년생을 만나서

김주희 (단원고 생존자)

제가 죽음의 문턱에서 살아 돌아온 그해에도 세상
어딘가에서는 새로운 생명이 태어나고 있었을
것입니다. 시원이도 2014년에 태어난 아이였지요. 너무
가까운 곳에서 죽음을 보았던 저는 그해에 태어났다는
생명체를 처음 마주했을 때 그저 신기하기만 했습니다.

갓난아기였던 시원이 유아차를 타고 있던 순간, 심한
감기에 걸려 쌍꺼풀이 한쪽만 진하게 생겨 있던 순간,
너무 오랜만에 만나서 열일곱 살 차이가 나는 저를
언니라고 부를지 이모라고 부를지 심각하게 고민하던
순간, 혼자서 글씨를 쓰고 그림을 그릴 수 있을
정도로 자라서 선물 받은 책에 자기가 만든 사인도
하고 그림도 그리던 순간, 그리고 엄마의 연극에서

주연을 맡아 길고 긴 대사를 열심히 외우고, 관객들
앞에서 아동의 권리를 당당하게 외치던 순간 등…….
시원이와 함께했던 순간들 대부분은 어쩌면 평범한
아이들의 성장 과정일 수도 있지만, 그날의 참사를 겪고
'생존자'로 불리게 된 저에게는 '2014년생'과의 만남이
특별한 기억으로 남아 있습니다.

시원이가 초등학교에 입학하고 나서 저와의 관계를
궁금해하던 시기가 있었습니다. 사실 시원이가 배 속에
있을 때부터 경화 언니(시원이의 엄마입니다)는 세월호
참사 소식을 접한 뒤 많은 사람들과 함께 애도하고
연대하는 활동을 해왔습니다. 그리고 시원이가 태어난
후 세월호 참사를 주제로 한 단편영화의 자문을 구하던
중 저와 도연이를 만나게 되었지요.

시원이는 세월호를 계기로 언니들과의 인연이
시작되었다는 것을 알게 되었고, 언니들이 참사의
생존자라는 사실도 알게 되었습니다. 그 후 경화
언니로부터 시원이가 세월호 참사에 대한 궁금증을
가지고 여기저기 열심히 찾아보고 질문하고 있다는
이야기를 전해 들었습니다. 다른 누군가의 일을 쉽게

생각하는 것이 아니라 진심으로 받아들이고 알고
싶어 하는 모습이 얼마나 고마웠던지요. 그렇게
해서 저도 다음 세대에게 세월호 참사를 어떻게
이야기해줄지, 어떻게 기억하게 할 것인지를 고민하기
시작했고, 시원이처럼 세월호 참사를 궁금해하는 아동
청소년들을 위해 연극 〈2014년 생〉을 함께 준비하게
되었습니다.

✄

저는 이 작품을 위해 세월호 참사의 생존자로서
시원이에게 참사에 대한 올바른 정보와 지식을
전해주어야 했습니다. 하지만 그전까지 아이들에게
세월호 참사를 설명해본 경험이 없었기에 '나조차도
받아들이기 어려운 이 상황을 어떤 수준에서
설명해주어야 잘 이해할 수 있을까', '설명하는데
시원이가 모르는 단어가 나와서 잘못 이해하거나
이해하지 못하는 건 아닐까' 하는 걱정만 가득했습니다.
하지만 시원이가 던진 질문들은 제가 전혀 예상하지
못했던 방향으로 뻗어 나갔습니다.

"세월호 배는 얼마나 컸어?" "언니랑 제일 친한 친구는

누구야?" 같은 질문에서는 '그래. 이런 게 시원이
또래가 궁금해할 만한 질문이지.' 하고 생각했고
"왜 진상 규명을 반대하는 거야?" 같은 질문에서는
'시원이가 이런 것도 궁금해한다고?' 하며 내심
놀라기도 했습니다. 시원이가 한 질문들 대부분은
그동안 제가 수도 없이 받아왔던 질문들, 원하는
대답을 듣고자 어떤 의도를 가지고 하는 질문이 아닌
오로지 정말 궁금해서 나온 질문들이었습니다.

그렇게 시원이의 질문에 대답하면서 그동안 제가
너무 부정적이고 무겁게만 참사를 받아들이고 있었고,
받아들인 대로만 알려주려 했던 것 같아서 미안함과
함께 반성하는 마음도 갖게 되었습니다. 시원이가
저에게 던진 질문들은 오히려 제가 참사를 어린이의
관점에서 바라보고 더 다양한 측면으로 받아들일 수
있도록 해주었습니다.

기억교실을 함께 방문했을 때 시원이는 참사로 희생된
제 친구들의 실재 유무를 따지지 않고 자기 친구들
대하듯이 반갑게 다가갔습니다. 또한 자기보다 어린
아이들에게 노란 리본이 무엇인지, 세월호 참사가

무엇인지 직접 알려주겠다고 다짐하는 모습에서
듬직하다는 느낌도 받았지요. 자신의 감정에 솔직하고
원하는 것이 있으면 노력으로 해내려는 의지가 강한
시원이는 저와 제 친구들을 위해서 연극 무대에
오르기로 결심했습니다. 함께 작품을 준비하는 내내
시원이는 긴 대본을 암기하고, 궁금한 것이 생기면
질문하기를 망설이지 않고, 스스로 생각하고 대답하고
연기하며 자신의 다짐을 실천해나갔습니다. 그 모습은
저에게도 든든한 위안이 되어주었습니다.

2014년 4월 16일 이후 10년이라는 시간이 흘렀습니다.
참사 조반의 서는 '왜 이런 일이 하필 나한테
생겼을까.'라는 생각을 많이 했습니다. 하지만 시간이
지날수록 만일 내가 아니라 내 주변 사람들에게 이런
일이 일어났다면 지금보다 더 힘들었을 것 같다는
생각이 들었습니다. 좋은 것만 보고, 재밌는 것만 하고,
맛있는 것만 먹어도 하루가 짧을 텐데, 그런 사람들이
살면서 굳이 겪어도 되지 않을 일이 다시는 일어나지
않았으면, 하고 바라게 되더군요. 하지만 불행하게도,
제가 겪은 세월호 참사 이후에도 많은 사회적 재난과
참사가 남의 일이라고 볼 수 없을 정도로 가까운

주변에서 계속 일어났습니다.

저는 〈2014년 생〉을 만들어가면서 누군가가 함께하고
있다는 것, 기억해주고 곁에 있어준다는 것이 얼마나
큰 힘인지 알게 되었습니다. 그리고 제가 참사 이후를
살아온 시간들을 토대로 또 다른 참사를 겪은 사람들과
함께 기억하고, 서로에게 도움이 되고, 함께 이겨낼 수
있도록 당사자로서, 생존자로서 다가가고 싶었습니다.
그전까지는 오로지 제가 겪은 일, 반복되는 무기력과
죄책감, 돌아오지 못한 친구들과 선생님들에 대한
그리움, 당장 오늘 하루를 살아내는 일 등등 바로
눈앞에 있는 것들에만 붙들려 있었지만, 지금부터라도
스스로 할 수 있는 일들을 하나씩 찾아서 천천히
해나가면 되겠다고 생각했습니다. 그런 마음으로
함께 작품을 만들어나갔고, 이 연극이 참사로 인해
돌아오지 못한 많은 분들, 참사 이후를 살아내고 있을
생존자분들과 함께할 수 있다면 좋겠다는 바람을 갖게
되었습니다.

⚘

〈2014년 생〉을 만드는 동안 제가 한 걸음씩 나아갈 수

있도록 꾸준히 관심과 응원을 보내주신 많은 분들이
자주 떠올랐습니다. 이 책을 빌려서 '잊지 않겠다'는
마음으로 기억해주시고 지지해주신 많은 분께, 또 아무
편견도 대가도 없이 도와주신 많은 분께 정말 감사했고,
감사하다는 말씀을 전하고 싶습니다.

끝으로, 〈2014년 생〉 공연을 봐주신 관객님들 그리고
지금 책을 읽고 계신 독자님들을 만날 수 있게 된 건
여러분이 오랫동안 기억하고 함께해주신 덕분이라
생각합니다. 덕분에 저희의 이야기를 꾸밈없이 있는
그대로 가까이에서 전달할 수 있는 의미 있는 시간이
되었습니다. 제가 겪은 세월호 참사뿐만 아니라 다른
사회적 참사들도 조금 더 깊게 생각해볼 수 있었고,
공연과 책을 통해 함께 알아가고, 다가가고, 개발하고,
연결하는 과정을 지나오며 함께 연대해주시는
분들께도 감사함과 든든함을 느낄 수 있었습니다.

우리 사회에서 일어나는 다양한 이슈들은 특정한
누군가의 일이 아닌 누구나의 일이 될 수 있습니다.
우리가 참사를, 재난을, 사고를 막을 순 없지만, 우리의
판단과 행동 하나가 누군가의 가족을, 누군가의 생명을

지키는 데 중요한 결정을 한다고 생각한다면, 좀 더 안전한 사회가, 더 나아가 안전한 세상이 만들어지지 않을까요?

우리 모두에게 안전한 세상이 오기를 바라며, "먼지 먼지 뿍극 슈퍼 파워!"

기억과 추억 사이

김도연 (단원고 생존자)

사람들은 내가 힘들어해서 몸이 아픈 거라고,

죄책감과 상실감에서 빠져나오라고, 잘 사는 모습을 보여야

도언이도 좋아할 거라고 말한다.

나도 충분히 그러고 싶으며, 그러기 위해 노력하고 있다.

공감하기 어려운 이들에게는 그저 반복되는

유난일 뿐이겠지만.

한 해가 지날수록 나의 아픔은 어디서도,

또 누구에게도 공감받고 위로받기 어려워진다.

–2019년 11월 27일 일기 중에서

10년 전 참사가 일어났던 4월, 그리고 가장 친했던
도언이의 생일인 12월이 다가오면 머리가 인지하기도
전에 몸이 먼저 반응한다.

익숙하다 못해 당연해진 악몽과 위염, 예민함. 머리부터
발끝까지 "나 지금 불편해!!!"라며 소리치는 것 같다.
이런 몸의 소리가 비단 나만 불편하게 하는 것은
아니다. 위염으로 한 끼 식사조차 제대로 하지 못하는
나를 지켜보는 가족은 억장이 무너질 것이며, 누가
보기에도 위태로운 4월을 견뎌내는 나를 지켜보는
친구들의 마음 역시 조마조마할 테니까. 그래서인지
그들이 내게 조심스럽게 꺼내는 말들의 대부분은
"시간이 약이라잖아, 곧 괜찮아질 거야." "네가
행복해져야 도언이도 행복할 거야." 같은 것들이다.

물론 그 말들이 나에 대한 걱정에서 비롯된 것임을
누구보다 잘 알고 있다. 그럼에도 매년 흘러가는 시간
속에서 조금의 나아짐 없이 2014년에 머물러 있는 나는
앞으로 어디서, 누구에게 받아들여질 수 있을까 하는,
걷잡을 수 없는 두려움에 사로잡히곤 한다.

내가 겪었던 참사를 인지하고 친구들의 죽음을
받아들이기까지 오랜 시간이 걸렸다. 내 몸에 새겨진
반응들을 마주하고 인정하고 함께 살아가기로
마음먹기까지는 더 오랜 시간이 걸렸다. 나는 이제야

마냥 울지 않고 친구들을 추억할 수 있게 되었는데,
그마저도 사회가 정해놓은 한정된 시간까지만 눈치
보지 않고 슬퍼할 자격이 주어지는 것만 같다.

☙

벌써 10주년이다. 우리는 보통 시간이 빠르다는 감정을
드러내려 할 때 '벌써'라는 단어를 쓴다. 적어도 내가
만난 사람들은 대부분 세월호 이후의 시간에 대해
'벌써'라는 표현을 사용했다. 참사를 직접적으로 마주한
당사자들에게는 무엇 하나 해소되지 않은 채로, 무엇
하나 변화되지 않은 채로 그저 속절없이 흐른 10년이다.

모두에게 충격과 상처가 되었던 만큼 세월호 참사에
감정 이입을 하는 사람들이 너무도 많았다. 따뜻하고
감사한 반응만큼이나 원치 않는 시선과 무언의 편견,
그만하라는 외침도 꼬리표처럼 따라다녔다. 결국
가까운 지인들에게도, 처음 만난 이들에게도 나의
이야기는 '원치 않는 무거운 주제' 그 이상도 이하도
아닐 거라는 생각에 점점 더 위축되어갔다. 그렇게
우리는 사회가 정해놓은 한정된 시간까지만 눈치 보지
않고 슬퍼할 수 있었다.

그래서일까, 이제는 세월호를, 노란 리본을, 기억을 입 밖으로 꺼내기 조심스럽다. 무수한 시간이 속절없이 흐른 10년 동안 세월호는 정치를 빼놓고 이야기하기 힘들어졌으며, 조금의 해소와 변화 없이 반복되는 4월에 피로감이 느껴질 것이며, 무엇보다도 10년은 이제 그만하기에 충분한 시간이라고들 말할 테니까. 하지만 그렇기에 '2014년생'이 이야기하는 세월호, 그 너머 아동 청소년의 인권 이야기는 더욱 의미가 있다.

참사 그 자체로 너무 큰일이었기에 마냥 힘든 것이 당연하다 생각했고, 너무도 많은 친구들을 동시에 잃고도 충분한 애도의 시간을 보내지 못했기에 몰려오는 죄책감이 당연하다 생각했다. 그러나 현시대의 아동 청소년인 2014년생 시원이가 건네는 순수한 질문들은 내게 새로운 고민거리로 다가왔다. 내가 미처 깨닫지 못했던 질문들을 마주하고, 답할 수 있는 기회가 주어진 것이다.

그렇게 나는 시원이와 연극 〈2014년 생〉을 만나고 나서야 내가 겪은 참사가 당시 아동 청소년이었던 우리에게 얼마나 참혹한 현실이었는지 온전히 마주하게 되었다. 시원이의 질문을 곱씹으며 내 생각을 정리하고, 시원이가 이해할 수 있는 언어로 다듬는 과정을 통해 그동안 내가 왜 이토록 분노하고 답답해했는지 그 이유를 하나씩 알아갈 수 있었다. 풀리지 않던 의문에 스스로 답해가는 시간이 된 것이다. 그리고 세월호 참사와 유기적으로 연결되어 있는 무수한 가치를 전달하는 것이 얼마나 중요한지를 깨닫게 되었다. 무엇보다도 지쳤던 감정을 토닥이며 다시 한번 용기를 낼 수 있는 기회가 되어주었기에 내게는 너무도 감사한 순간으로 남아 있다.

물론 나라고 흘러가는 시간을 마냥 무시한 채로 모든 것을 기억하며 살아가고 싶은 것은 아니다. 아니, 더 솔직하게 말하자면 이미 많은 것이 희미해졌고, 모든 것을 기억하는 괴로운 상황을 원하지도 않는다. 10년쯤 흐르니 어떤 기억은 여전히 눈물부터 나지만, 어떤 기억은 희미해져 붙잡기 바쁘며, 또 어떤 기억은 떠오르기만 해도 웃음이 새어 나온다. 친구들에 대한 모든 기억이, 참사에 대한 모든 기억이 뚜렷하다면 그것만큼 괴로운 것이 또 있을까? 아마 하루하루를 견뎌내기도 힘들 것이다.

그저 10년쯤 흐르니 이젠 나에게도 친구들 사진을 보며
"이때 우리 진짜 귀여웠다."라며 흐뭇하게 웃음을 짓고,
기억교실과 기억식을 놀러가듯 다녀오고, 납골당에서
함께 생일 파티를 하며 친구들을 추억할 수 있는 여유
정도는 생겼다. 그럼에도 여전히 내 친구의 말투가,
목소리가, 표정이 희미해지는 것에 아무런 죄책감이
들지 않는 것은 아니다. 기억과 추억 사이에서 나만의
살아가는 방법을 찾아가는 것일 뿐.

저마다의 방법으로, 저마다의 속도로 충분히 애도하고
아파할 수 있도록 우리 사회가 조금 더 너그러이
기다려주면 얼마나 좋을까. 최소한 같은 아픔이
반복되지 않도록 인정하고, 책임지고, 준비하는 사회가
될 수는 없을까. 우리가 말하는 '기억'은 그런 차원이다.
우리 모두 그날을 아프게 떠올리며 머무르자는
이야기가 아닌, 2014년 4월 16일을 잊지 않음으로써
미래에는 다시 상처가 반복되지 않도록 하자는 것이다.
세월호 너머의 가치를 잊지 않고 기억하자는 호소이다.

지난 10년 동안 내가 꾸준히 용기를 낼 수 있었던

이유는 저마다의 방법으로 기나긴 여정을 함께해준 분들 덕분이다. 예전만큼 자주는 아니어도 매일 아침 출근길에 마주하는 노란 리본은 안전한 세상을 만들 수 있을 것이란 희망으로 여전히 다가온다. 세월호와 같은 참사가 우리 사회에서 더는 반복되지 않기를 간절히 소망하며, "먼지 먼지 뿍극 슈퍼 파워!"

2014년에 태어난 한 사회 이야기

미류 (인권운동사랑방 상임활동가)

〈2014년 생〉이라는 연극 제목을 보며 처음 든 생각은 어처구니없게도 이랬다. "그렇지, 2014년에도 누군가 태어났지." 2014년을 세월호 참사 없이는 기억할 수 없는, 어쩌면 세월호 참사로만 기억하는 내게 2014년에 어울리는 단어는 '상실'이다. 탄생은 아니었다. 그러나 당연한 사실, 2014년에도 수많은 생명이 자신의 세계를 탄생시켰다는 사실은 기억을 처음부터 다시 써야 할 것 같은 마음을 일으켰다. 그때, 무엇이 태어났는가.

※

1995년 삼풍백화점이 무너져 내렸을 때, 같이 있던 친구가 전화를 받고 급하게 자리를 떴다. 삼풍백화점 인근에 살던 친구였다. 가족 중 한 명이 연락이 닿지

않아 가봐야 한다고 했다. 다행히 친구의 가족은
무사했고 내게는 더 이상의 기억이 남아 있지 않다.
자료 화면으로 종종 비추던 분홍색 건물 외관의
괴기스러운 이미지 정도만 남았을 뿐이다. 최종
사망자가 500명이 넘는 대규모 참사였다. 구조
작업이 20여 일간 이어졌고, 건물 붕괴 원인도 한동안
주목받는 뉴스였다. 하지만 왜 그 이상의 기억은
없을까? 나는 애도하는 시간을 가져본 적이 없었다는
걸 깨달았다.

2014년 세월호 참사는 내게 세월호가 침몰한
사건이기보다 수백 명의 유가족이 눈앞에 등장한
사건이었다. 그들이 사랑했던 이들의 사진은 한눈에
담을 수 없는 광각의 제단에 놓였고, 합동분향소에
줄지어 들어섰던 사람들처럼 나도 압도적 상실감을
느꼈다. 수백 명의 생존자도 있었다. 세월호가
갑작스럽게 기울며 침몰하기 시작하여 탈출이
불가능해지기까지 100여 분의 시간으로 한정될 수
없는, 소중한 무언가를 잃어버리게 된 수백 개의 사건이
있었다. 그들의 이야기를 들으며 당신에게 소중했던
무언가가 내게도 소중한 무엇임을 감각하고, 그

잃어버림을 헤아리며 내가 건넬 수 있는 말을 어렵게
찾아가는 시간. 세월호 참사 이후의 시간은 애도를
배워가는 시간이었다.

"옛날이야기 들으면 머릿속으로 막 상상하잖아요.
세월호 참사도 그랬거든요."(47쪽) 시원에게 세월호
참사가 '옛날이야기'였던 이유는 그가 태어나던
즈음의 사건이기 때문만이 아니다. 삼풍백화점 붕괴
참사가 내게 '옛날이야기'로 남아 있게 된 것처럼,
사람과 이야기와 장소를 만나지 못할 때 세상의 많은
사건들은 '옛날이야기'가 되어간다. "주희 언니와
세월호의 장소를 함께 여행하니까 돌아오지 못한
언니 오빠들이 사진으로 찍혀서 마음속에 있는 기억
저장소에 들어갔어요."(47쪽) 궁금해질 때, 언니의 친한
친구는 누구인지, 배에서 먹은 과자는 무엇인지, 언니는
친구에게 어떤 편지를 썼는지, 궁금해할 때 애도가
시작된다.

이태원 참사 이후 국가는 애도 기간을 정해 슬퍼하라고
했다. 누가, 무엇이, 왜, 어떻게 사라졌는지 함께
헤아리자는 제안이 아니었다. 슬픔의 크기와 시간을

정해놓는 대신 부재는 지워버렸다. 애도는 슬퍼함이 아니다. 상실을 대면하는 '용기 냄'이다. 부재의 자리에 무엇이 존재했는지 함께 알아갈수록 슬퍼할 용기가 난다. 애도와 기억을 위해 기록과 장소와 의례 등 물질적인 것이 필요한 이유도 그렇다. 세월호 참사 이후, 그전에 있던 다른 많은 참사를 복기하게 되면서 그와 관련된 추모비들이 밑도 끝도 없는 장소에 덩그러니 방치되어 있음을 알게 되었다. 함께 알아가며 기억하기 위해서가 아니라 잊히기 위해서 만들어진 것처럼. 세월호 참사를 기억하기 위한 4.16생명안전공원이 아직 착공도 하지 못한 현실은 우리 사회가 어디쯤에 멈춰 있는지 깨닫게 한다. 기억의 장소에 잡초가 무성하다.

🎗

수많은 재난 참사가 누군가에게 우연히 닥친 불행으로 여겨진 만큼, 안타까움과 탄식은 오래 이어지지 않았다. 세월호 참사는 '불행'이라는 말로 설명될 수 없고 설명되어서도 안 되는 일이었다. 그렇게 큰 배가 그렇게 순식간에 침몰한다고? 선장과 선원들이 승객을 두고 먼저 빠져나왔다고? 배가 침몰하는 걸 보면서도

해경이 승객을 구조하지 않았다고? 재난은 조사되어야
하며 원인을 밝혀야 하고 끝까지 책임을 따져 물어야
한다는 인식이 자라났다. 재난은 사회구조적 원인을
가지므로 재난의 진상 규명은 피해자뿐만 아니라
모두의 권리였다. 그러고 나서야 앞선 재난들도 그냥
넘겨서는 안 될 일이었음이 확연해졌다. 앞선 재난들도
조사되거나 수사되었다. 그러나 오히려 국가가
주도하여 원인과 책임을 축소하는 절차로 기능해왔다.

재난의 원인이 궁금해지자 '재난'이 다시 발견되었다.
사회 재난뿐만 아니라 자연 재난으로 불리는 사건들도
자연적인 것이 아니라 사회적인 것이었다. 지진으로
인한 피해는 지진 때문이 아니라 빈곤과 열악한 주거
조건 때문에 발생한다는 사실이나, 산불 피해가
많아지는 이유는 인간 사회가 만든 기후위기의
느린 결과라는 사실들에 우리는 익숙해졌다. 원인이
궁금해지는 것은 함께 바꾸고 싶기 때문이다. 사회가
'재난'을 어떻게 인식하고 대응하는지에 따라 많은 것이
달라질 수 있었다. 이태원 참사는 법에 명시된 재난이
아니라며 책임을 회피하거나, 화물연대의 파업은
재난이라며 재난안전본부를 신속히 구성한 것처럼

재난은 아무렇게나 갖다 붙이는 것이 아니었다. 재난은 세계를 다르게 보는 하나의 관점이 되었다.

세월호 참사는 앞선 재난 참사를 돌아보게 하는 동시에 뒤이은 사건들을 다르게 해석할 참조점이 되었다. 어떤 죽음들에 사회구조적 원인이 있다는 감각이 사회적으로 쌓였다. 구의역에서 일하던 하청노동자가 왜 열차를 피할 수 없었는지, 석탄화력발전소에서 일하던 김용균이 왜 컨베이어벨트에 끼였는지 질문하기 시작했다. 누구나 드나드는 강남역 인근 화장실에서 왜 여성이 살해당해야 했는지 물으며 '여성 혐오'라는 구조를 지적했다. 그보다 앞선 유사한 사건들에서 '왜'라는 질문은 언제나 피해자를 향했다. 왜 거기 갔는지, 왜 주의하지 않았는지와 같은 질문들로 어떤 죽음을 마치 죽은 이의 잘못인 듯 몰아가는 데 더 익숙했다. "어린이 보호구역 내 시속 30킬로미터라는 법은 2010년부터 있었대요."(82쪽) 2019년 '민식이법'으로 불리는 도로교통법 개정이 이루어지기 전까지 많은 어린이들이 그렇게 자신의 죽음에 대한 책임을 떠안은 채 묻혔던 것이다. 세월호 참사는 앞선 사건들을 재배열하며 생명과 안전의 권리를 만들어가는 계기가 되었다. 그렇게 우리 사회가 생명과 안전의 권리를 우선하는 사회로 더디게 나아가고 있는지도 모른다. 하지만 세월호 참사의 진실도 정의도 미완인 채로 10주기를 맞고 있다. 이것은 '세월호 침몰 사고'의 원인을 밝히고 책임자를 처벌하는 문제에 한정되지 않는다. 어린이들이 일부러 도로에서 사고를 유발한다는 손가락질은 지금도 이어지고 있다. 이태원 참사 이후 "왜 거기 놀러 갔냐?"는 비난이 등장하고, '구의역 김군'이 사망했을 때 "열차 이용에 불편을 드려 죄송합니다."라는 메시지를 냈던 서울메트로(현재 서울교통공사)는 전국장애인차별철폐연대의 지하철 탑승을 막고 있다. 아직 충분히 바꾸지 못한, '재난 중'에 우리가 있다.

세월호의 침몰은 끝이 아니었다. 청와대도 정부 부처 어디도 일사불란한 지휘나 구조와 수습을 목적으로 하는 집요한 대책 마련이 없었다. 서두르는 기색조차 느끼지 못했다. 심지어 참사 발생과 경과에서 핵심 정보인 구조자와 실종자 집계도 제대로 이루어지지 않았다. 언론을 통해 전해진 '전원 구조' 소식이 오보였다는 사실은 참사를 두 번 겪는 것과 같은 충격을 안겼다. 대통령은 오후가 돼서야 얼굴을 보였는데, 당시 상황을 전혀 파악하지 못하는 질문으로 사람들을 다시 놀라게 했다. 그동안 믿어왔던, 아니 믿을 필요도 없이 당연스럽게 여겼던 것들이 산산조각 나는 사건이 세월호 참사였다.

사회가 부서진 자리에서 국가의 형상은 더욱 또렷해졌다. 세월호 참사 이후 힘겹게 이어진 진상 규명 과정에서는 꽤 많은 사실이 밝혀지기도 했다. 참사 당일부터 바삐 움직인 정보기관들은 '종북 세력의 선동'을 우려하고 '촛불시위의 변질'을 관리하고 '순수 유가족과 강성 유가족'을 분류해 사찰했다. 청와대부터 각급 정부 부처들까지 기조는 일관됐다. 유가족을 적대시하고 유가족의 요구를 불온시했다. 정부는 법에 근거해 설립된 특별조사위원회를 무력화하기 위해 수차례 회의를 열며 방해 공작을 체계적으로 펼쳤다. 이들에게 세월호 참사는 국민의 생명과 안전이 침해된 사건이 아니라 국가의 안전을 위태롭게 하는 사건이었다. 이는 신자유주의 전략의 핵심 중 하나다. 국민의 일부를 적으로 만드는 정치.

'반공'이 기본값처럼 장착되어 있는 한국 사회에서
'빨갱이'나 '종북' 같은 말은 누군가를 손쉽게 배제할
수 있는 근거가 되어왔다. 그와는 조금 다른 맥락에서
점점 더 많은 집단이 적으로 지목되어왔다. 경제를
망치는 것은 노동조합이고, 범죄 위험을 높이는
것은 이주민이고, 청년의 기회를 빼앗는 것은
페미니스트이며, 장애인과 노인은 사회에 짐이 될
뿐이라면서. 세월호 참사 당시 선내 방송으로 전달된
'가만히 있으라'는 메시지는 많은 이들이 언젠가
어디선가 들어본 말이었다. 어린이라서, 여성이라서,
장애인이라서, 노동자라서……. 이유는 다양했을
것이다. 하지만 익숙했다. 다르게 생각하거나 다르게
움직이는 것은 공동체를 위기에 빠뜨린다는 논리였다.

'가만히 있으라'고 강요당하는 이들은 사회를 위험에
빠뜨리는 사람들이 아니었다. 가장 먼저 위험에
노출되는 사람들이었다. 노동하면서 자신의 권리를
주장할 수 없었던 사람들이 더 많이 사고를 당했고,
차별의 구조에 갇힌 여성이 일터에서 일상에서 더
많은 범죄에 노출되고 있었다. 이미 자리를 빼앗긴
사람들이 생명과 안전의 권리도 잃어온 것이다. 시원이

"어린이는, 자리가 없는 관객 같아요."(25쪽)라고 말할 때 그것은 우리가 겪는 재난의 본질이었다.

연극에는 어린이를 위해서라며 퀴어퍼레이드 시 광장 사용이 불허된 사실이 언급된다. 어린이는 보이지 않거나 불리지 않는 존재가 아니다. 그러나 현실에서는 언제나 남의 목소리로 불려 나가고 전시되는 존재일 뿐이다. '자리가 없는 관객'은, 언제나 그 자리에 있지만 말할 수 있는 존재로 간주되지 않는 '관객'이다. 그 자리가 재난이 시작되는 자리다. 관객들을 둘러앉히고 노란 리본을 줄에 엮는 시간은, 그래서 재난 이후의 사회가 시작되는 시간이 된다.

☙

2014년, 많은 사람들이 다른 사회를 만들자고 약속했다. 노란 리본을 약속의 징표로 저마다의 자리에서 크고 작은 변화를 만들어왔다. 그러나 세월호 참사 이후 10년의 시간을 돌아보는 마음은 복잡하기만 하다. 세월호 참사의 진실이 밝혀지나 했더니 어딘가에서 멈춰버렸고 책임자들은 재판정에 서는 족족 무죄를 선고받았다. 재난이 어디에서부터 시작되는지 알게 되는 만큼 바뀌는 것들도 생기지만 바뀌지 않는 것들도 보게 된다. 문제가 드러날수록 문제들은 복잡하게 엉켜 있고 어디에서부터 손을 대야 할지 막막하니 오히려 무력감이 일기도 한다. 아예 미래로 날아가자는 시원의 제안은 갑작스러웠지만 따라가지 않을 도리가 없었다.

"상상할 준비가 안 되어 있"는(109쪽) 어른들은 아예 올 수 없었던 미래에서 시원은 새로운 법을 만들어보자고 제안한다. 그러다가 '먼지'와 '봄이'가 집에 혼자 남겨진 사실을 깨닫고 다시 과거로 돌아가자고 설득한다. 연극이 끝난 후에 나는 이 대목을 유심히 곱씹었다. 2014년에도 많은 것이 상상이었다. 재난을 조사하기 위한 기구가 필요하다는 것도, 재난 참사 피해자가 권리를 가진다는 것도, 우리 모두에게 생명과 안전의 권리가 있다는 것도, 10년이 지난 지금은 경험과 언어를 얻었지만 그때는 아니었다. 사회가 계속 제자리인 것 같은 이유는 우리가 상상하기를 멈췄던 때문은 아닐까?

문제가 복잡하게 엉켜 있다면 더 크게 바꾸기 위한 상상을 해야 할 때다. 어린이 보호구역을 정해 자동차

속도를 제한하는 대신, 모든 자동차의 속도를 제한해야 하는 것은 아닐까. 모든 걸 빠르게 생산하고 빠르게 소비시키는 사회가 기후위기를 가속화하는데 자동차의 속도뿐만 아니라 모든 곳에서 속도를 늦춰야 할 때가 아닌가. 장애인을 탑승시킬 수 없다는 지하철의 속도, 노동자의 몸이 끼인 채로도 움직이는 기계의 속도도 모두 늦추자고.

재난 조사는 지나간 일에 붙들려 있는 거라며 서둘러 해치우려고 할 때, 꼼꼼히 두루두루 살피며 조사할수록 우리가 더욱 안전하게 살아갈 수 있다고 말해야 한다. 조사 결과만 받아보면 그만인 '관객'이 아니라 무엇을 어떻게 조사해야 할지부터 함께 말할 수 있을 때 함께 바꿀 수 있는 것도 많아진다.

10년 전 상상에 불과했던 것들을 현실이 되게 한 것은, 타인의 고통을 타인의 것으로 내버려두지 않겠다는 약속이었다. 시원이 연극 내내 환기시키듯 세월호 참사를 기억하는 일은 우리를 계속 움직이게 했다. 아직 불안정하지만 법과 제도를 바꾸고 새로운 장소와 새로운 관계들을 만들어왔다. 우리가 서로를 더욱 크게 연결할 수 있다면 그만큼 사회도 바뀌어갈 것이다. 어린이 안전에 대한 이야기가 장애인의 권리에 대한 이야기로 이어지고 성소수자의 권리로 다시 연결되고 비인간 동물에게로 넘어가는 것처럼, 우리가 어떻게 연결되어 있는지 살피는 일은 상상 속에서만 가능할 것 같은 변화를 현실로 옮겨 오는 실마리가 될 것이다.

🎗

그때, 무엇이 태어났는가. 2014년 이후 시작된 변화의 단편들을 열거하는 일이 어렵지는 않다. 하지만 그만큼 두드러지는 정체와 역행을 보며 입을 떼는 일은 어렵기만 했다. 〈2014년 생〉을 2014년에 태어난 한 어린이의 이야기이자 2014년에 태어난 어떤 사회에 대한 이야기로 읽으며, 무언가 태어난다는 것의 의미를 되짚게 됐다.

시원이 어떤 사람이 되어갈지 아직 알 수 없듯 2014년생 사회가 어떤 모습이 되어갈지 지금 다 알 수는 없다. 성취와 기쁨과 뿌듯함도 있겠지만 좌절과 고통과 위기도 있을 것이다. 그것이 무언가 태어난다는 것의 의미일 것이다. 우리에게 주어진 숙제는, 무엇이든 생겨나고 태어날 수 있다는 사실 자체에 우리의 몸을 맡기는 것은 아닐까. 어린이처럼 우리도 "많은 걸 할 수 있는 존재"(43쪽)라는 사실을 망각당하지 않기로 약속하면서.

"이 노란 리본이 차원의 문이 될 거예요."(100쪽) 세월호 참사 이후의 사회는 지금도 자신을 열어가고 있다.

존엄과 안전에 관한 4.16 인권선언

누구도 살아남지 못할 것이다. 세월호 침몰은 한국
사회가 이미 가라앉기 시작했음을 보여주는 상징적인
사건이었으며, 수많은 세월호들의 침몰 속에서 다시
닥쳐온 재난이다. 이 사회의 모순과 부조리를 참혹하게
드러낸 참사에도 불구하고, 정부는 정의를 짓밟고
언론은 진실을 왜곡하고 있다. 인간의 존엄에 침을
뱉고 참사의 진실을 덮으며 여전히 가만히 있으라 한다.
그러나 가만히 있으면 이 땅에 아무도 남지 않게 될
것이다.

우리는 인간으로 다시 살기 위해 저항과 연대를 멈출 수
없었다. 팽목항에서, 안산에서, 광화문에서, 애통함이
뒤덮인 또 다른 거리에서 우리는 함께 마음을 졸이고

아파했다. 눈물을 흘렸고, 이야기를 했고, 광장에
나섰고, 길을 걸었다. 흔들리면서도, 박해받으면서도
우리는 함께 싸우며 우리의 존엄을 회복하고 있다.
어둠은 빛을 이길 수 없고 모욕은 존엄을 밀어낼 수
없다.

모든 사람은 그 자체로 자유롭고 평등하다. 안전한
삶은 모든 사람이 누려야 할 권리다. 안전은 통제와
억압으로 보장될 수 없으며, 돈으로 살 수 있는 것도
아니다. 자유, 평등, 연대 속에서 구현되는 인간의
존엄성이야말로 안전의 기초이다. 우리의 존재가 오직
이윤 취득과 특권 유지의 수단으로만 취급되고 부당한
힘이 우리의 권리와 삶의 안전을 위협할 때 우리는 이에
맞서 싸울 것이다.

권리는 저절로 주어지지 않으며 우리가 협력하여 싸울
때 쟁취하고 지킬 수 있다. 권리를 위한 실천이 우리가
주권자임을 확인하는 길이며, 곧 민주주의 투쟁이다.
우리는 존엄과 안전을 위협하고 박탈하는 세력들에
맞서 노란 리본을 달고 촛불을 들겠다. 세월호의
아픔으로 시작한 이 싸움은, 모든 이들의 존엄을 해하는

그 어떤 장애물도 넘어설 것이다. 그리하여 함께 살고 함께 나누는 세상을 향해 나아갈 것이다.

이 다짐을 담아 다음과 같이 선언한다.

1. (인간의 생명과 존엄성) 인간의 생명과 존엄성은 최우선적으로 보장되어야 한다. 돈이나 권력은 인간의 생명과 존엄보다 앞설 수 없다.

2. (자유와 평등) 모든 사람은 자유롭고 평등하다. 어떠한 이유로도 억압당하거나 차별받아서는 안 된다.

3. (연대와 협력) 모든 사람은 연대할 권리를 가진다. 누구도 혼자 살 수 없으며, 인간의 존엄은 타인과의 관계 속에서 협력하며 살아갈 때 지켜질 수 있다.

4. (안전을 위한 시민의 권리와 정부의 책임) 모든 사람은 안전하게 살아갈 권리를 가지며, 안전한 사회를 만들기 위해 참여할 권리를 가진다. 모든 사람은 위험을 알고, 줄이고, 피할 권리가 있으며 이를

보장할 일차적 책임은 정부에 있다.

5. (구조의 의무) 정부는 모든 역량을 동원하여 재난
   상황에 처한 사람들을 구조하고 이들의 안전을
   확보하기 위해 마지막까지 최선을 다해야 한다.
   구조에 있어서 그 어떤 차별도 있어서는 안 된다.

6. (진실에 대한 권리) 모든 사람은 재난을 초래한 환경과
   이유를 포함한 진실을 알 권리를 가진다. 진상조사를
   위한 기구에는 충분한 권한이 주어져야 하며
   공정성과 독립성이 확보되어야 한다. 진실에 대한
   어떠한 은폐와 왜곡도 용납될 수 없다.

7. (책임과 재발방지) 재난의 해결은 정의로운 방식으로
   이루어져야 한다. 책임자를 엄정하고 공정하게
   처벌해야 하며, 유사한 재난의 발생을 막기 위해
   정부와 사회는 철저한 재발방지대책을 마련해야
   한다.

8. (피해자의 권리) 피해자는 부당한 해를 입었고 고통을
   겪는다는 사실을 인정받고, 존중받을 권리가 있다.

특히, 정부와 책임 있는 대표자로부터 공식적인
사과와 배상을 받을 권리가 있다. 또한 피해자는
사건 해결의 전 과정에 참여할 권리가 있다.

9. (치유와 회복) 피해자는 재난 발생 즉시 필요한
구제와 지원을 평등하게 받을 권리가 있다. 또한
치유와 회복을 위해 적극적이고 충분한 조치를 취할
일차적 책임은 정부에 있다.

10. (공감과 행동) 모든 사람은 재난으로 생명을 잃은
이들을 충분히 애도할 권리를 가진다. 모든 사람은
재난 피해자의 아픔에 동참하고 정의를 실현하기
위하여 말하고, 모이고, 행동할 권리를 가진다.

11. (기억과 기록) 공동체는 피해자를 기억하고, 재난과
그 해결의 전 과정을 기록하여야 한다.

12. (저항할 권리) 정부, 기업, 언론 등 권력기관이 인간의
생명과 존엄성을 침해하고 안전을 위협할 경우,
모든 사람은 스스로 방어하고 연대하여 투쟁할
권리를 가진다.

13. (존엄에 기초한 사회를 만들 권리) 모든 사람은 돈과
    권력이 중심이 되는 사회를 근본적으로 바꿔 자유와
    평등, 연대와 협력, 인간의 생명과 존엄에 기초한
    사회를 만들 권리를 가진다.

우리는 상실과 애통, 그리고 들끓는 분노로 존엄과
안전에 관한 권리를 선언한다. 우리는 약속한다. 세월호
참사를 기억하고 진실을 밝히고 정의를 세우기 위한
실천을 포기하지 않을 것임을. 또한 우리는 다짐한다.
이 세계에서 벌어지는 각종 재난과 참사, 그리고 비참에
관심을 기울이고 연대할 것임을. 우리는 존엄과 안전을
해치는 구조와 권력에 맞서 가려진 것을 들추어내고
목소리를 내는 데 주저하지 않겠다. 이 선언은
선언문으로 완결되는 것이 아니라 수많은 우리가
다시 말하고 외치고 행동하는 과정 속에서 완성되어갈
것이다. 함께 손을 잡자. 함께 행동하자.

1 "교차로에서 우회전하려는 운전자는 전방 차량 신호가 적
색이면 무조건 횡단보도 앞에서 일시정지한 이후 우회전해
야 한다. 만약 우회전 중 횡단보도를 건너고 있거나 건너려
는 보행자가 있으면 일시정지해야 한다." 대한민국 정책브
리핑(www.korea.kr), 〈'우회전 일시정지' … 22일부터 위반행위
본격 단속〉, 2023.04.21.

2   송재인, 〈전장연, 지하철 시위 … 동대문역사문화공원역에
서 대치〉, YTN, 2023.01.03.

3 "전국장애인차별철폐연대(아래 전장연) 활동가들은 2021년
12월 6일부터 혜화역 승강장 5-4(동대문역사문화공원역 방면)
에서 장애인권리예산·입법 쟁취를 위한 선전전을 하고 있
다. (…) 전장연은 2023년 1월 2일, 48차 '출근길 지하철 탑
니다'를 하려고 했으나 서울교통공사·서울시의 '무정차' 대
응으로 지하철에 탑승하지 못했다. 장애인 권리를 무정차

하는 정부를 규탄하며 전장연은 매일 아침 8시, 혜화역 승강장에서 시민들에게 권리예산과 입법을 알리는 선전전을 한다." 강혜민, 〈[승강장일기] 비폭력의 힘〉, 《비마이너》, 2023.01.11.

4   0set 프로젝트, 〈다음 이야기: 사람〉, 연극실험실 혜화동1번지, 2022.12.15.-18.

5   김홍모, 《홀: 어느 세월호 생존자 이야기》, 창비, 2021. 세월호에서 학생 20여 명을 구해 '파란 바지 의인'이라 불리는 김동수 씨의 증언을 기반으로 세월호 생존자의 트라우마와 참사 이후의 삶을 그린 책이다.

6   2022년 4월, 세월호 참사 8주기를 앞두고 시원과 주희는 기억교실-진도팽목항-목포신항으로 여행을 떠났다. 시원은 여행 전 세월호 참사에 관한 질문들을 준비했다. 현장을 돌아보며 생긴 질문들을 포함해 시원의 모든 질문에 주희가 답했다. 배우 이나리, 연출 송김경화, 영상감독 이영대가 동행하고 이를 기록했다.

7   〈"하나의 작은 움직임이 큰 기적을" … 노란 리본의 의미는?〉, YTN, 2019.04.16.

8   송락규, 〈'주황 리본'을 아시나요 … 스텔라데이지호 침몰 100일〉 KBS, 2017.07.10.

9   선담은, 〈비극적 죽음 한 달 … 태안은 벌써 김용균을 잊고 싶어 한다〉, 《한겨레》, 2019.01.11.

10 〈10.29 이태원 참사를 함께 기억하고 연대해주세요〉, 텀블벅 프로젝트. https://tumblbug.com/1029/

11 팽목항은 세월호 참사 희생자들의 유해가 수습되었던 곳이며, 이후에는 세월호 미수습자 가족들이 오랜 시간 머물며 사랑하는 가족을 기다렸던 공간이기도 하다. 팽목항에는 세월호 추모 조형물과 '기다림의 등대', '기억의 벽', '하늘나라 우체통'이 있다. (4.16연대 홈페이지 '기억공간 소개'에 게재되어 있는 글을 다시 정리했다. 이하 기억공간 소개 글들 역시 4.16연대 홈페이지의 정보를 바탕으로 다시 정리한 것이다.) ⚲ 주소: 전라남도 진도군 임회면 연동리 1491.

12 진도 팽목항의 노란 리본이 그려진 빨간 등대.

13 4.16가족극단 노란리본, 〈연속, 극〉, 소극장 산울림, 2023. 05.05.-06.

14 2014년 4월 16일 세월호 참사가 발생하고 약 3개월 뒤 세월호 유가족들이 '세월호 특별법' 제정을 촉구하면서 광화문 광장에 처음 천막을 설치했다. 유가족들은 진상규명과 책임자 처벌을 외치며 단식농성과 촛불집회를 이어갔다.

2019년 3월 광화문 광장에 세월호 기억공간이 지어졌고 시민들과 유가족은 비가 오나 눈이 오나 이곳을 지키면서 노란 리본을 만들어 시민들과 나누었다. 2021년 7월 서울시의 광화문 광장 재구조화 조성공사로 일방적으로 철거된 기억공간은 그해 11월 서울시의회 앞마당에 임시 조성되었다. 세월호 기억공간은 세월호 참사로 희생된 304명의 우주를 잊지 않으려는 시민들이 참사의 목격자로서 슬픔과 분노를 나누는 공간이다. ⚓ 주소: 서울특별시 중구 세종대로 125.

15 "서울시의회 앞 세월호 기억공간은 시민들과 세월호 참사 피해 가족들의 모금을 통해 2021년 11월 19일(금) 서울시의회 앞마당으로 임시 이전되었습니다. 2022년 6월, 서울시의회 사무처는 국민의힘이 다수당이 되었다는 이유로 세월호 기억공간 부지 사용 기간 연장을 거부했고, 세월호 기억공간을 지키기 위해 2022년 7월 8일부터 시민들의 자발적 1인 시위가 시작되어 현재까지 계속 이어지고 있습니다." 4.16연대, 〈[활동보고] 세월호 기억공간 지키기 1인 시위는 계속 진행 중입니다〉, 2024.01.04.

16 김다은, 〈서울퀴어문화축제 불허 사유는? 광장시민위 회의록 살펴보니〉, 《시사IN》, 2023.06.23.

17 박종관, 〈'탁상행정'에 유치원 체험학습 '줄 취소'〉, 《한국경제》, 2019.06.18.

18 변진경·김동인·이명익·신선영·최한솔, 〈'스쿨존 너머', 어린 생명이 꺼진 자리〉, 《시사IN》, 2021.09.24.

19 김미나·박태우·전종휘, 〈"화물 파업, 북핵 위협과 마찬가지" 노동자 적대하는 대통령〉, 《한겨레》, 2022.12.05.

20 어린이들의 사망 원인은 다음과 같다.

• 고 조은결: 2023년 5월 10일 경기도 수원시 권선구 호매실동의 한 스쿨존 사거리에서 신호를 위반하고 우회전하던 시내버스에 부딪혀 사망. • 고 배승아: 2023년 4월 8일 대전광역시 서구 둔산동의 한 스쿨존에서 인도로 돌진한 만취 운전자의 차량에 부딪혀 사망. 함께 걷던 어린이 3명도 크게 다침. • 고 이동원: 2022년 12월 2일 서울시 강남구 청담동 언북초등학교 후문 스쿨존에서 만취 운전자의 차량에 부딪혀 사망. • 고 최하준: 2017년 10월 1일 과천 서울대공원 경사진 주차장에서 굴러 내려온 차량에 부딪혀 사망. • 고 김태호, 고 정유찬: 2019년 5월 15일 인천 송도국제도시의 한 교차로에서 초등학생 5명을 태운 사설 축구클럽 승합차 운전자가 시속 30km 제한속도와 신호를 위반한 뒤 다른 승합차와 충돌한 사고로 사망. • 고 이해인: 2016년 4월 14일 경기도 용인시 기흥구 언남동의 한 어린이집 앞에서 하원 차량을 타기 위해 줄을 서 있다가 경사로에서 굴러 내려온 차량에 부딪혀 사망. • 고 김민식: 2019년 9월 11일 충남 아산시 온양중학교 앞 스쿨존 내 횡단보도에서 길을 건너다가 일시정지하지 않고 직진하던 차량에 부딪혀 사망.

21   변진경, 《울고 있는 아이에게 말을 걸면》, 아를, 2022, 195-196쪽.

22   위 책의 저자이자 《시사IN》 기자.

23   변진경·김동인·이명익·신선영·최한솔, 《시사IN》 특별기

획 '스쿨존 너머' 특별 웹페이지 https://beyondschoolzone.
sisain.co.kr/

24 2021년 4월 12일 문을 연 4.16기억교실은 단원고 학생들
이 사용했던 책상, 의자, 칠판, 게시판, 문과 문틀, 창문과 창
틀, 천장텍스, 몰딩 등 단원고 교실을 원형 그대로 복원하여
이전한 기억 공간이다. 세월호 참사를 기억하며 안전한 사회
로 나아가기 위한 살아 있는 교육 공간인 단원고 4.16기억교
실은 4.16민주시민교육원 기억관 2층, 3층에 있으며 365일
개방되어 있다. ⚲ 주소: 경기도 안산시 단원구 적금로 134.

25 재난안전통신망은 2022년 이태원 참사 때에도, 2023년
여름 폭우 당시에 발생한 청주 궁평2지하차도 침수 사고 때
에도 제대로 작동하지 않았다.

다음 두 기사를 참고하라. "재난 상황에서 혼선을 막고 원
활한 소통을 위해 경찰·소방·의료 등 재난 관련 기관이 하
나의 통신망으로 소통하는 시스템은 이미 갖춰져 있었다.
전국 단일 통신망으로, 세월호 참사를 계기로 정부가 1조
5000억 원을 들여 만든 '재난안전통신망'이다. 이 통신망에
연결된 무전기를 쓰면 현장에 출동한 경찰·소방·지자체 직
원 등이 동시에 소통하면서 구조 및 사건 수습을 할 수 있
다. 현재 전국 19만 8000대 무전기가 보급돼 있다. 정태호
민주당 의원이 행정안전부로부터 제출받은 이태원 참사 당
시 '재난안전통신망 접속 기관 및 통신·통화 내역'을 보면,

10월 29일 밤과 30일 새벽 중앙재난안전상황실과 서울시 재난상황실, 용산구 재난상황실에서 이뤄진 통신 시간은 195초에 불과했다. 중앙재난안전상황실에는 행안부를 비롯한 40개 기관이, 서울시 재난상황실에는 서울시와 구청 등 40개 기관이 공통 통화 그룹으로 묶여 있다. 용산구 재난상황실 또한 용산구와 서울시 등 22개 기관이 통화 그룹에 참여한다. 재난안전통신망이 처음 활용된 시각은 오후 11시 41분이었다. 최초 신고 이후 1시간 26분이 지난 시점이다. 재난안전통신망에서 서울소방은 제외된 사실도 확인됐다. 11월 4일 김성호 행정안전부 재난안전관리본부장은 이태원 참사 중대본 브리핑에서 '재난안전통신망은 버튼만 누르면 유관기관 간 통화를 할 수 있는 체제를 갖추고 있지만, (시스템이) 잘 작동이 안 됐다.'라고 말했다." 문상현, 〈이태원 참사 전후 국가 재난 대응 체계 어떻게 작동했나〉,《시사IN》, 2022.11.21.

"행정안전부는 풍수해 대책 중 하나로 '자치단체·유관기관이 참여하는 합동 상황 전파 체계를 구축하고 관계 기관 간 신속한 정보 공유를 추진'하겠다고 했다. 하지만 궁평2지하차도 침수 당시 충청북도와 청주시, 흥덕구청, 경찰 등 기관 간 상황 공유가 제대로 되지 않아 교통통제 등 안전조치가 전혀 이뤄지지 않았다. 현장에서는 '재난안전통신망(세월호 참사를 계기로 만든 전국 단위 통합 통신망)'도 제대로 작동하지 않았다. 재난안전 업무를 맡고 있는 충청북도의 관계자는 '사고가 발생한 이후에 재난안전통신망으로 청주시를 네 차례 호출했지만, 연결이 되지 않았다.'라고 말했다. 청주시의 한 관계자는 '그날 새벽 3시 21분부터 5분, 3분, 2분대별로 (다양한 유선으로) 연락이 쏟아졌다. 그래서 못 받았을 수 있다'라고 설명했다. 각 지자체에 따르면, 현장 책임자인 김영환 충북도지사와 이범석 청주시장은 7월 15일 각각 오후 1시 20분(최초 인지 오전 9시 40분), 오후 2시 40분(최초 인지 오후 1시 30분)이 되어서야 현장에 도착해 피해 상황을 파악했다." 이은기, 〈현장의 책임 묻겠다는 정부, 현장은 책임 공방만〉,《시사IN》, 2023.07.25.

26 '생명안전기본법 제정을 위한 시민동행'은 이 법을 다음과 같이 소개하고 있다. "이 법은 시민 모두의 '생명'과 '안전', 그리고 재난 상황에서도 '인간으로서의 존엄'을 지킬 수 있도록 하는 법입니다. 생명 안전과 존엄을 지킨다는 것은 무엇일까요? 사고가 나지 않도록 '예방'한다는 의미도 있지만, 사고가 발생했을 때 '피해를 최소화'하고 수습 과정에서 피해자의 인권을 보호하며, 사고의 원인과 대응의 문제점을 조사·개선하여 유사 문제의 '재발을 방지'한다는 의미도 있습니다. 결국 생명안전기본법은 가장 중요한 기본권인 시민의 생명권과 안전권을 실질적으로 보장하기 위해, 국가와 지자체 등이 어떤 의무를 다해야 하는지, 시민들에

게는 어떤 권리가 있는지 등의 기본사항을 규정한 법입니다. 세월호 참사를 경험하면서 시민들은 우리 모두의 생명과 안전, 그리고 재난 상황에서 존엄을 지킬 수 있도록 하는 법이 필요하다는 사실을 절감했습니다. 그래서 2015년 여러 재난 참사에서 피해자를 지원해왔던 활동가와 법률가들, 그리고 재난참사 피해자들이 모여 생명안전기본법에 대한 논의를 시작했습니다. 5년 넘게 법안을 세심하게 논의하여 준비했습니다. 이 법은 2020년 11월에 국회에서 발의되었습니다." 〈국민 동의가 필요합니다! 생명안전기본법 제정!〉, 4.16연대 홈페이지, 2023.09.05.

27 2014년 7월 15일, 단원고 생존자들은 세월호 참사 진상 규명을 위한 세월호특별법 제정을 촉구하며 국회 본관 앞에서 단식과 노숙농성을 시작한 유가족에게 힘이 되기 위해 안산 단원고에서 서울 여의도 국회까지 1박 2일 37킬로미터 도보 행진을 했다.

28 남보라, 〈지하철 승강장 틈에 빠진 4살 … 승객들이 온몸으로 구했다〉, 《한국일보》, 2023.08.27.

29 조형국·김유진·이수민, 〈두 바퀴엔 절벽 같은 '28cm'〉, 《경향신문》 인터랙티브 기사. https://www.khan.co.kr/kh_storytelling/2021/crevasse/

30 "장애인 이동권 투쟁은 2001년 1월 오이도역 리프트 추락 참사 이후 본격화됐다. 그전에도 몇 차례의 추락 사고

가 있었지만, 해당 역사에 대한 처방에만 그쳤다. 목숨 걸고 이동해야 하는 상황은 개인에게 갑자기 닥친 불행한 사고가 아니었다. 사건의 책임을 묻고 재발방지를 요구하며 구성한 '오이도역 장애인 수직형 리프트 추락 참사 대책위원회'는 '장애인 이동권 쟁취를 위한 연대회의' 결성으로 이어졌다. 이들은 지하철 선로를 점거하고, '장애인도 버스를 타자' 외치며 장애인 이동권 문제를 드러내고 확장했다. 점거, 단식, 농성 등 수년에 걸쳐 계속된 투쟁으로 서울시에 지하철 승강기 설치, 저상버스 도입 약속을 이끌어냈다." 다슬, 〈장애인 이동권은 정말 나아졌을까〉, 《비마이너》, 2022.02.12.

31 2014년 4월 15일 인천항을 떠난 세월호는 출항 이튿날 참사를 당해 3년은 진도 맹골수도의 40미터 바닷속에 가라앉아 있었고, 참사 발생 3년 만인 2017년 3월 31일에 인양되어 목포신항의 차량 부두에 거치되었다. 목포시는 신항에서 직선거리로 1.3킬로미터가량 떨어진 고하도를 선체 보존지로 결정했으며 2028년까지 세월호 거치 방안으로 선체 원형을 물 위에 띄우는 형태로 전시하고, 국민안전체험 공원으로 조성하여 추모·교육 등에 활용할 계획이다. ⚓ 목포신항 세월호 주소: 전라남도 목포시 신항로294번길 45.

2014년 생

2024년 3월 28일 초판 1쇄 발행

지은이   송김경화

펴낸곳   도서출판 아를
등록   제406-2019-000044호 (2019년 5월 2일)
주소   10881 경기도 파주시 문발로 139, 407호
전화   031-942-1832
팩스   0303-3445-1832
이메일   press.arles@gmail.com

© 송김경화 2024
ISBN 979-11-980706-9-2 03810

아를ARLES은 빈센트 반 고흐가 사랑한 남프랑스의 도시입니다.
아를 출판사의 책은 사유하는 일상의 기쁨, 아름다움을 발견하는 즐거움을 드립니다.
◦페이스북 @pressarles   ◦인스타그램 @pressarles   ◦트위터 @press_arles